EMMANUELLE EN NOIR

La première édition de cet ouvrage a été publiée à Québec, aux Éditions Garneau, en 1971.

Maquette de la couverture : Jacques Léveillé

ISBN 2-7609-3064-5

Dépôt légal — Bibliothèque nationale du Québec.
2e trimestre 1982

Imprimé au Canada

EMMANUELLE EN NOIR

SUZANNE PARADIS

LEMÉAC

PREMIÈRE PARTIE

Narration : Emmanuelle

1

J'ai treize ans. J'ai un père et une mère. Ma mère s'appelle Ildegarde. Depuis longtemps déjà — cela remonte à mes premières amours — je connais l'existence de ma mère Ildegarde quoique je ne l'aie jamais vue. Il faut que je me répète qu'à sept ans j'ai découvert l'amour, blottie entre les bras de Jubald, bercée par les courses folles d'un troupeau de licornes sorties de sa bouche et de ses doigts. Alors il chantait avec chaleur les comptines et les ballades que nous inventions. Il prenait ma main pour m'emmener voir l'univers. Au-delà de notre grande maison, il y avait le flot fluorescent de la ville et le silence nocturne qui font d'habitude tellement peur aux enfants, et ce géant patient et bon. Il m'avait promis le monde et je savais qu'il me le donnerait, qu'il ne faisait pas de promesses en l'air.

Je me souviens de lui au crépuscule: le valeureux chevalier me hissait hors de ma tour et m'enlevait par les cheveux. Il me plaçait bien au-dessus des anges et des enfants dans la hiérarchie de son cœur. Et grand-mère Blanche penchée sur moi se faisait complice de nos aventures, sans savoir sur quel pied danser quand il lui débitait des arguments pour défendre nos excursions magiques.

— Que voulez-vous, Blanche, je travaille tard et si je veux voir Emmanuelle, je suis obligé de bousculer son sommeil de temps en temps.

Grand-mère Blanche se déridait enfin, évoquait habilement mon entêtement et mon indiscipline naturels, mais me laissait aller en promenade avec toi. Jubald! Jubald! N'ai-je pas été ton seul véritable amour pendant six ans? N'as-tu pas trompé pour moi cette Ildegarde dont tu me parlais les yeux voilés de tendre pitié? Tu ne m'as jamais prévenue qu'il fallait partager avec elle les carrousels tournoyants, les boutiques de la vieille ville enchâssée dans sa muraille de pierre, le goût des nourritures exotiques, le bruissement des étoffes rares et souples. J'apprenais avec toi le piano et l'orgue, je te racontais toute ma vie, je te mêlais à toute parole en moi, à chaque signe — musique, tableau, paysage — recueilli dans les choses. Tu étais l'âge qui montait en moi. C'est sur la peau de tes paumes, où je glissais ma main pour te retenir, que je mûrissais. C'est dans tes regards que s'exprimaient la clarté de chaque objet, la forme de chaque pensée.

Pourquoi m'as-tu désormais enfermée dans cette maison sans âme où tu m'abandonnes un peu plus chaque matin? Il y a quinze jours, tu annonçais:

— Je t'emmène aux *Cygnes.* Il est temps que tu reviennes parmi nous, Ildegarde s'impatiente.

J'ai interrogé ton regard et pressenti la trahison. Pourquoi soudain Ildegarde intervenait-elle de cette façon dans mon existence ? Grand-mère Blanche venait de mourir, mais pourquoi fallait-il quitter sa servante pour Ildegarde ? Chaque fois que tu prononçais son nom, je m'énervais et j'attendais que se reformât le silence. Je n'ai pas désiré l'amour d'une mère, le tien seul me comblait, m'illuminait, me parait comme une reine impubère des fastes de la maturité. Auprès de toi, j'avançais sans vertige et pleine d'espérance.

Ah ! que j'ai redouté cette existence qui m'a retiré une à une les faveurs dont tu me couvrais. Comme je répugnais à partager ton sourire, tes bras, la caresse essentielle de ta présence !

Tu m'as expliqué que nous quittions la maison de grand-mère Blanche pour vivre ensemble, que ma nourrice sourde entrait à l'hospice et que je devais emporter tous mes trésors, que l'espace ne manquerait pas dans mon nouveau foyer. Mais était-ce suffisant pour que je devine à quel point ma vie changeait ? Les bibelots que tu avais choisis pour mes anniversaires, ce vase effilé où je gardais, unique, un camélia ou une orchidée, où les contemplerais-je maintenant ? Les livres que tu m'achetais à la douzaine, où les lirais-je sans la lueur parfaite de cette lampe ? J'emportais toutes mes robes sans avoir pressenti l'inutilité de leur parure. Mais quel amour subsisterait sans le cadre douillet qui en connaissait les mystères et les secrets événements ? Si j'avais su nommer le désespoir et la haine qui envahissaient mon cœur, peut-être aurais-je moins pleuré et fait pleurer ! Bientôt je deviendrais une autre, la fille de cette Ildegarde qui te ferait oublier la douceur de notre enfance. Gertrude me l'a souvent répété : les pères s'engourdissent quand ils vivent continuellement avec nous. Ils négligent de nous faire la cour et de nous promener délicieusement le soir.

Mais je n'ai vraiment imaginé ce qui m'attendait aux *Cygnes* que lorsque j'ai aperçu Ildegarde. Elle se tenait à la barrière de la villa, jeune et timide comme une fillette, sans aucune ressemblance avec ma grand-mère, hélas. Elle tendait les bras dans un geste qui la faisait si belle, si absurdement rayonnante que je restai de glace.

— Emmanuelle, ma chérie ! que tu es grande ! Et jolie !

Même sa voix m'éprouvait ! Est-ce ma faute si je n'ai pu lui sourire ni la toucher, si j'ai passé devant elle sans la voir et couru m'enfermer dans la villa ? C'est toi qui as trahi le premier ! Tu l'as prise dans tes bras pendant que je vous observais de la fenêtre ! J'aurais pu hurler de dépit. Tu la consolais de ma présence, tu l'implorais pour moi, tu l'embrassais à cause de moi ! C'était pour elle donc que tu m'avais arrachée à ma vie comme un clou et plantée dans cette villa que je trouvai hostile dès le premier regard !

Pour elle et pis encore. Car, vois-tu, ta chaleur ici ne m'atteignait plus, ton être dégageait tout à coup un halo détruisant à mesure ta présence, ou la réduisant à son squelette. Je ne vis plus de toi pendant plusieurs jours que des os d'une blancheur aveuglante, un crâne de globe terrestre où tes yeux, sombres océans, refusaient mon espérance.

Je me suis assise en face de toi pour déjeuner des dizaines de fois: tu déjeunais habituellement tôt et seul. J'ai tenté, par tous les artifices, de reconstituer ton être, de le reprendre au néant de ma mémoire, de toucher ta main horriblement décharnée. Tu n'existais plus. Pourtant aussitôt que ma mère paraissait, tu reprenais forme, chaleur et épaisseur, et j'assistais, incrédule, mortifiée dans mon amour, à cette métamorphose. Que de fois je me suis mordu la bouche pour ne pas crier, que de fois me suis-je enfermée dans cette chambre pour fouetter mes esprits. C'est ainsi que j'ai commencé à écrire ce journal.

Ce matin, pas un mot n'affleure. Un orage de feu et de froid a secoué mon cerveau. Combien de temps ai-je subi l'assaut de ces rafales? Je l'ignore. Je me suis réveillée à plat ventre, mon corps et mon lit figés dans un désordre indescriptible. Je sanglotais doucement, avec un certain calme, celui d'après la tempête. J'ai fait ma toilette et rangé ma chambre dans cet état second. Je me suis habillée (maillot de bain, panama, sandales) et j'ai décidé d'aller me promener sur le lac en yacht. Me voici de retour, allégée et sans pensée, étrangère à tout et à tous.

— Mademoiselle a un beau hâle ! me crie le jardinier chinois avec son accent chantant et les rides qui font ricaner tout son visage.

C'est vrai ; je me suis exposée sur le pont du yacht, luisante de crème solaire. J'ai changé de peau en moins de temps qu'il en faut pour le dire. J'arbore une peau rouge cuivre qui doit avoir de bonnes racines dans l'Histoire du Canada. Dans la petite anse où j'ai établi mon refuge, je me suis livrée au soleil, nue pour la première fois. Je crois que j'espérais que Jubald me voie ainsi et soit pris de panique paternelle.

Apparemment personne ne m'a remarquée. Je récidiverai demain. J'ai ruminé ce projet toute la journée : recommencer jusqu'à ce que j'aie semé aux *Cygnes* le trouble et la stupéfaction. Contre Ildegarde, sortir des armes de femme, les seules qui puissent l'atteindre. Ma volonté est de l'éloigner de ma route ou de réduire cette route en miettes. Je veux épuiser la résistance inconsciente qu'on oppose à mon amour.

J'aurai besoin d'aide ; j'ai invité Gertrude et surtout Éléonore. Mon initiative a soulevé le bienveillant intérêt et l'approbation de tous : n'ai-je pas besoin d'une compagne pour meubler ma solitude ? Donc Éléonore viendra et elle est belle. Je ne sais pas précisément ce que je veux en faire. C'est le calme plat dans mon cerveau. J'en arrive à feindre l'indifférence envers Jubald qui évite de me voir et de m'entendre, bien content que je ne sois pas trop ostensiblement malheureuse. Ses propos du matin me font le même effet que les jeux des minuscules ruisseaux qui scintillent à travers les plates-bandes. Ils jasent, ils méditent ou ils s'esclaffent, mais tout est rompu d'eux à moi. Je ne traduirai pas leurs acrobaties. Je resterai neutre et rassurerai Ildegarde. On ne veut plus de moi comme enfant? Soit, j'avancerai en âge à pas de géante! Je détesterai ma mère en souriant, la couvrirai d'ineffables injures en lui disant simplement bonjour, au revoir, bonne nuit, et elle fondra de tendresse. Je trouve ridicule qu'à trente ans elle soit à peine plus vieille que moi, et tellement plus intéressante. Je finirai bien par la désintégrer complètement.

Depuis ma dernière crise, depuis que la sérénité s'est établie commodément sous mon crâne, un écran s'est formé entre elle et moi. Il change son odeur en parfum de glycine et des ondulations de lumière effacent les jointures de ses doigts qu'elle croise les uns dans les autres, quand elle est assise en face de moi. Je mets au point cet écran plus futé que la prunelle de mes yeux. Il me débarrasse d'elle et me rend l'espace. C'est qu'il me faut beaucoup d'air pour ouvrir chacun de mes gestes, pour assurer les aises de mon corps en croissance folle, dans cette maison où je pourrais me sentir dangereusement à l'étroit. À force de me concentrer sur mon corps, la forme et la taille de mes membres, je connais les besoins exacts de chacun de mes gestes. Je refais chaque pièce selon les exigences particulières de ces mouvements ou de mon immobilité. Huit jours après mon arrivée, j'ai achevé de distordre l'espace et je suis enfin capable de bouger n'importe quel point de ma personne sans me blesser aux angles des meubles, sans heurter les cloisons ni les plafonds, sans m'épuiser en calculs déroutants au pied ou en haut des escaliers. Je suis parvenue à rencontrer Ildegarde, même sur un palier étroit, sans que la crainte d'une chute m'oblige à m'agripper sauvagement à la rampe, ou à m'enfoncer dans les épaisseurs du mur. Une vague sensation de confort vient finalement récompenser mes efforts et je ne redoute pratiquement plus les mots de corvée que je dois prononcer dans ces occasions (bonjour, bonsoir, etc.). Car je ne souhaite rien de bon à Ildegarde. Car, si je le pouvais, je l'étoufferais à chaque crépuscule, afin qu'elle ne vive pas la nuit suivante avec Jubald.

Je me demande pourquoi, aussi brutalement que de la veille au matin, Jubald a trouvé déplacés les baisers et les caresses qu'il acceptait chez grand-mère Blanche; pourquoi il me tient dorénavant à distance de sa précieuse personne. Mais je me contente de croire que c'est ma mère qui nous sépare et le contraint à m'éviter. Aurait-elle assisté à mes séances d'héliothérapie sur le pont de son yacht? Elles sont si fréquentes maintenant qu'elles ne doivent plus inquiéter personne. De toute façon, je me prépare à l'arrivée d'Éléonore. Je me lustre et je m'enrobe de soleil, sans penser plus loin que mon nez. J'invente pour mon corps encore informe des soins et des angles savants, des poses et des audaces malignes. Aimablement Ildegarde prend note de chaque gentillesse que je n'ai pu éviter, et ne sent nullement autour d'elle le rétrécissement de l'espace que j'ai accaparé à son insu. Tant mieux pour moi, je la coincerai sans avertissement!

Aïda et Olga me détestent, car elles ont des yeux pour me suivre partout et ne chôment jamais. Elles doutent de mon innocence. Aïda m'a menacée plusieurs fois:

— Garce! petite garce, prends garde à toi.

Et je fais exprès pour me déshabiller dès que je la soupçonne de m'épier par le trou de la serrure. Elle se plaindra peut-être au grand patron, mais il l'enverra paître. Je la devine comme on devine un rat et je jouis de sa honte devant ma nudité. Elle en sera obsédée et passera ses jours et ses nuits à effacer mes traces. Elle a vite compris que je hais Ildegarde. Sans imaginer une rivalité avec ma mère, elle a pris aveuglément son parti contre moi et je ne songe pas à le lui reprocher. Ses grands yeux obscènes ne me lâcheront pas, mais à quoi bon? Jamais elle ne dépêtrera la haine de l'amour puisqu'ils portent le même maquillage.

Celle qui me déteste le plus, c'est Olga. Il ne convient pas qu'une cuisinière se nomme Olga, qui est un prénom de tsarine ou de fée. Mais Ildegarde tient à ses servantes, qu'elles sortent de l'histoire de Russie ou des contes de Perrault! Elle a pour ces filles adroites dans leurs fonctions et fidèles comme des chiens des largesses et des prévenances maternelles. Si je m'en plains, elle m'enverra au diable. Alors je me tais et je me venge à ma façon : Aïda en a pour son indécence des trous de serrure, Olga pour sa superbe de cuisinière diplômée, décorée, admirée et dorlotée : je mange sous son nez, sur le coin de la table, d'énormes tartines que je confectionne sans la consulter. Je déteste les domestiques. Les millions de Jubald Elliott ne m'obligeront pas à les admettre dans mon intimité, à respecter leur méprisable besogne.

Le seul que je supporte ici, peut-être parce que je crois possible d'en faire un complice, c'est Satan le chauffeur. Je ne connais pas son véritable nom, mais celui que je lui donne lui va comme un gant. Je le surveille et le rabroue, mais j'arriverai à l'apprivoiser, sinon. Son sourire cassé sur les dents, il conduit sans un geste de trop, sans un froncement de sourcils. Il y a autant d'huile dans ses mouvements que dans le moteur de la voiture. On dirait que les plus mauvaises routes sont liquides lorsqu'il est au volant. Il devine ma méchanceté et il me fixe par le rétroviseur comme si j'allais lui trancher les veines jugulaires à la moindre distraction. Je chuchote dans son oreille :

— Satan. Tu t'appelles Satan.

Je voulais me venger de sa suspicion mais Satan sourit, sourit interminablement. Il fait le sourd, le saint, le soumis. C'est la première fois que les pièces de son sourire, curieusement remises en place par un imperceptible déclic, lui ferment la bouche entièrement. Hermétiquement. Va au diable, Satan ! Va aux prunes, va-t'en ! Je veux qu'on me laisse seule et qu'on me laisse tranquille ! Éléonore arrive demain.

2

L'œil de Satan vire au feu, le prince des ténèbres a blêmi. Je le comprends. J'ai beau connaître Éléonore depuis des années, j'éprouve un choc en l'apercevant à la portière du train. J'en oublie d'accueillir convenablement mon amie Gertrude, littéralement balayée du décor par son aînée.

C'est une vision, c'est la foudre! Une somptueuse toison rousse qui explose au soleil, d'immenses yeux barbares couleur d'herbe. Éléonore éclabousse la gare et les rares voyageurs qui écarquillent les yeux d'admiration et de stupeur. Satan, que je gêne soudain en le fixant avec ironie, s'empresse, se démène, et réussit finalement à placer les malles de mes invitées dans le coffre de la voiture. Ce n'est pas moi qu'il épiera cette fois par le rétroviseur: j'ai donné à Éléonore cette place privilégiée que j'occupe ordinairement rien que pour le faire enrager. C'est par son attention et sa ferveur hypnotiques à convoiter le visage d'Éléonore, que j'apprendrai d'abord le pouvoir de la beauté et de la lumière. Peut-être qu'à cette seconde précise je sais (du moins je n'ignore plus) pourquoi j'ai appelé Éléonore, pourquoi sa présence m'émeut davantage que celle de ma confidente, de ma sœur, de ma si chère Gertrude.

Tout en plaisantant et en taquinant les deux citadines encore blanches comme du lait, je trépigne intérieurement d'impatience : il faut que Jubald et Ildegarde la voient le plus vite possible ! Eux qui, jusqu'ici, se sont efforcés de m'intégrer à leur existence et à leurs habitudes, découvriront mon univers et mon passé autonomes. Je jouis déjà de leur émoi et de leur sournoise réprobation. Je provoquerai Aïda par tant de beauté exposée à sa noire constipation. Je dérangerai Olga en transformant sa solennelle cuisine en terrain de pique-nique perpétuel. Je m'étourdis de projets de petite envergure pour ne pas entamer le secret essentiel qui me motive et me soutient. Mais comment être certaine qu'Éléonore m'obéira, qu'elle aimera le joug que je m'apprête à jeter sur ses superbes épaules ?

Autrefois j'ai scandalisé grand-mère Blanche en choisissant Gertrude comme amie inséparable, parmi tant de filles élaborées et trompeuses, pour sa seule modestie et son incommensurable gentillesse. Gertrude réunit tous les talents en mathématiques, en histoire, en piano. Elle me permet d'étudier, de comprendre, de réussir des examens, de passer brillamment mes diplômes. Je lui suis par ailleurs d'une évidente utilité puisque je partage avec elle mon argent de poche et mes friandises. Je lui procure des livres, du mascara et du rouge à lèvres, puisqu'elle aspire à la beauté autant qu'à la science.

Éléonore, elle, possède cela, je veux dire la beauté, d'une façon si totale qu'elle n'a besoin de rien d'autre. A-t-elle une identité, une utilité, une fiche sociale comme les autres femmes? Quoi qu'elle sache et quoi qu'elle ignore, elle est Éléonore et cela suffit à renverser la vapeur, à retourner le monde sens dessus dessous, à changer l'odeur et le goût des choses.

— Monsieur et Madame sont à la plage, annonce cérémonieusement Aïda.

Elle a rougi sous sa noirceur et porte ses grosses mains à la tête en apercevant Éléonore. Je conduis moi-même mes invitées à leurs chambres.

— Allons rejoindre les ancêtres au bain! ai-je dit exprès pour la blesser.

Mais que je dompte mal la frénésie qui empourpre mes joues et glace mes doigts sur les courroies de mes sandales et les nœuds de mon maillot! Non, je ne sais pas ce que j'attends d'Éléonore! Quel rôle encore imprécis lui ai-je dévolu dans la confusion de mon esprit torturé? Je m'agite trop, je presse à deux poings ma poitrine à peine née et déjà affamée, sans le savoir, des baisers d'un homme. Mon heure aurait-elle déjà sonné? Suis-je prête à subir le désir inconnu qui fait trembler mon âme?

— Éléonore, quel âge as-tu donc?

Je tourne en extase autour de son corps, de cette colonne parfaite de peau immaculée, marquée des doux bondissements des formes exquises.

— Mais j'ai vingt ans, voyons!

Comme si on avait toujours vingt ans à son âge!

Elle rit, elle éclate, elle brille, elle habite et déserte en même temps un extraordinaire petit bikini flamme et soufre. Oserai-je montrer cette pure merveille aux regards experts de Hildegarde? (Ah! oui, je viens d'apprendre par hasard, en fouinant dans son courrier, que Hildegarde écrit son nom avec un h!) Soulèverai-je la réprobation qui tendra son visage et raidira, peut-être imperceptiblement, sa nuque? Ma mère est séduisante, mais son corps confesse trois mois de grossesse. Elle est encore trop belle pour Jubald et pour moi! Mais sa beauté sera-t-elle suffisante pour éclipser Éléonore? Ce n'est pas aujourd'hui que j'aurai ma réponse. Très gentiment et sans visible hésitation, Hildegarde a embrassé Gertrude et Éléonore, comme elle embrasse tout le monde. Jubald nous a disposées dans le yacht en éclatant de rire.

— Quel harem!

Nous nous sommes baignés, ébroués, séchés, empiffrés, sans la moindre fausse note. J'ai commencé à désespérer de mon initiative et j'ai boudé secrètement jusqu'au lendemain.

C'est la robe rouge qui a tout fait. Tout et même plus que je n'avais espéré. Au-delà du

commandement que je croyais exercer sur les choses et les âmes, la robe rouge a fait éclater mes intentions comme de vieilles noix, a fracassé des obstacles que je n'avais pas encore aperçus. La salle à manger est plongée dans l'or solide de cette fin d'après-midi. Douze juillet. J'observe le net découpage des carreaux blancs et noirs, la chute des tentures de bronze, le paysage encadré dans l'immense fenêtre nue. Les arômes du dîner percutent un instant mon odorat jusqu'à rendre poignantes les doléances de mon appétit.

Puis, soudain, tout s'effondre: couleurs, paysages, personnages, odeurs. D'instinct, je regarde vers la porte: Éléonore vient de paraître, intangible marionnette de voile fin, rien qu'elle et cependant la terre tremble sous moi. Tout a été déplacé imperceptiblement et converge vers elle qui accepte l'apéritif délicat et inoffensif que Jubald lui tend. Hildegarde plonge jusqu'au front dans son verre et n'observe plus qu'avec son âme. Olga qui venait annoncer le dîner, reste médusée et se balance dans l'embrasure de la porte à coulisse; et Gertrude, invisible à la droite d'Éléonore, attend que la vie reprenne son cours. Dès qu'Éléonore commencera à boire, les murs tomberont, nous serons libérés.

Non, la robe n'est pas rouge. Je suis abusée comme les autres sans doute par cette teinte qui prolonge en ses plis le feu de la chevelure et métamorphose Éléonore en une fleur d'enfer. Un charme opère qui divise déjà le harem en autant de femelles excitables. N'ai-je pas moi-même monté le spectacle qui m'est donné ? N'ai-je pas enfin réussi à détourner de ma mère l'attention et la bonté de Jubald ? Je respire goulûment l'air relâché à travers cette fissure dans l'amour de Jubald, son amour si lisse, si hautain que le jour lui-même ne l'entame ni ne l'amoindrit. Oui, Éléonore dessillera les yeux de Jubald, elle s'immiscera entre elle et lui et désintégrera les atomes de leur inextricable fusion. Elle est capable de tout. Sa beauté, sa séduction m'ouvriront en fraude un passage au cœur de mon propre songe.

J'ai triomphé trop vite. Je souhaitais un combat plus égal, la victoire plus extravagante. Éléonore n'a eu qu'à paraître pour changer la rotation du monde, pour détourner les fleuves et arrêter le soleil dans sa course. D'un souffle, elle a liquéfié les distances et franchi le gouffre où je me débats en grimaçant. Je n'ai pas eu le temps de me dresser pour prendre mon vol. Pourtant je dois m'emparer de la place enfin conquise, je dois me substituer au corps de mon esclave ! La robe d'Éléonore n'est pas rouge. C'est un éclair, un pur revêtement d'épaules et de seins. Moi qui croyais que la nudité exerçait toute séduction, je m'attarde à comprendre quel filtre discret fut cette robe-écrin pour la courbure d'un sein, pour la cambrure du dos, pour l'affolante fluorescence du jeune sexe enclos. Maintenant j'ai compris.

Hildegarde et Gertrude m'ont emmenée de boutique en magasin choisir ma robe de bal. Ce sera un bal champêtre pour célébrer le vingtième anniversaire d'Éléonore. Je ne m'en cache pas, c'est encore une de mes idées ! Je n'aime pas les bals, bien au contraire, mais dans les bals, on danse. J'imagine délicieusement que je danserai avec Jubald. Pour ce moment précis, j'ai longuement supputé les mérites des robes qu'on m'a essayées et ajustées, avec une patience d'anges préoccupés de la bonne facture. Plus elle sera généreuse, cette facture, plus ma tension cardiaque augmentera ; plus ma température buccale, rectale et abdominale s'élèvera également. Je suis en chaleur, oui ! Pourquoi le dissimulerais-je alors que flottent dans l'air de cet été des poussières magiques, des effluves particulièrement troublants ? Je chasserai Éléonore quand je n'aurai plus besoin d'elle. Elle partira de bon cœur ou de force, mais elle partira. Je le lui ordonnerai, s'il le faut.

Gertrude me coiffe de ses doigts agiles, fait avec mes cheveux des guirlandes sombres et brillantes. Elle me peint les yeux, les cils et les sourcils.

— Ne bouge pas tout le temps, Emmanuelle, tu vas tout gâcher !

Je ne bouge pas, je ne parle pas, je ne pense même pas. Enfin, nous voici hors de danger.

— Tu es presque aussi belle qu'Éléonore ! s'exclame Gertrude, avec une seconde de perplexité et d'étonnement, quand tu auras son âge... !

Moi, je veux être irrésistible à l'instant, je ne peux pas attendre six ans pour émouvoir Jubald.

— Ma robe, vite, ma robe, Gertrude!

On a fait des miracles pour en arriver là: juste ce qu'il faut de seins, de taille et de jambes, de nuque et de lèvres! Debout au milieu du salon, Jubald évalue son harem, papillonne, intrigue auprès de chacune, conscient du rôle que nous lui avons toutes dévolu. Il ne tient pas en place car Éléonore ne paraîtra pas avant huit heures.

— Me ferez-vous danser, monsieur?

— Avec le plus vif plaisir, Emmanuelle de mon cœur.

J'ai droit à mon premier verre d'alcool, à son effet indéfinissable, aérien et volcanique.

— Joyeux anniversaire, Éléonore!

Je participe à l'euphorie générale, cris, baisers, souhaits, cadeaux. Jubald semble ravi. Il demande une première valse à Éléonore, une deuxième à Hildegarde. Tout à l'heure il m'a présenté un jeune homme qui s'appelle Geoffroy, et à qui il semble énormément tenir: c'est le neveu de l'un de ses associés parti pour le Nevada, l'Ouganda, Cuba, enfin quelque chose comme ça. Il a dix-huit ans. Il est un de ces collégiens-phénomènes qui savent tout, et recalent les professeurs par leurs questions autant que par leurs réponses. Il est très grand et fort beau. Je danse avec lui comme si je traversais des jardins et des parcs à l'infini, dans un vide total.

Un instant seule, je me suis éloignée vers le bois. Je voulais réfléchir. Je me suis appuyée sur un tronc lisse. À quelque distance, un couple a passé, sombre sous la lune rouillée, emporté par un rythme intérieur puissant. Quand il s'est arrêté, il a joint des lèvres, des profils si parfaitement recueillis, une corbeille de seins et un poitrail d'homme si parfaitement accordés l'un à l'autre que j'ai su, sans les avoir reconnus, que Jubald et Éléonore s'embrassaient, que Hildegarde était trahie. Une jubilation extraordinaire m'a rendu le goût de ma jeunesse et je suis revenue dans le bal pour danser avec Geoffroy. Lorsqu'enfin j'ai eu mon tour au bras de Jubald, mon exaltation s'était changée en certitude et je flottais sur le même nuage d'illusion que lui. De quelque façon que je considère cette nuit-là, pas la moindre trace de jalousie ne subsiste. Elle n'a pas encore été inventée pour moi et je me tiens hors de sa portée. Mon ciel est sans nuage et sans arrière-pensée.

— Certainement que je me plais ici, Emmanuelle, quelle question! Je partirai à regret, tu peux me croire.

Nous sommes étendues côte à côte sur le sable, Éléonore et moi, À mes questions, elle répond sans détour, comme si j'étais une enfant inoffensive et curieuse, comme si je me faisais un souci de tendre épervier pour elle.

— Tu étais vraiment très jolie, hier. Jubald l'a remarqué!

— Tu l'appelles Jubald?

— Il me l'a demandé. Il dit que cela le rajeunit.

— Tu le rajeunis peut-être trop, ma chère.

Elle s'est brusquement retournée sur le ventre pour me regarder. Je ne lui montrais qu'un profil fermé à double tour. Elle a eu le courage et la subtilité de se taire, et j'en suis restée là.

Dans l'eau, Éléonore devient à volonté un phoque, une loutre, une oie sauvage et, facilement, tous les poissons de toutes les eaux. Je la soupçonne de posséder neuf cent quatre-vingt-dix-neuf vies toutes dédiées au culte d'Aphrodite. Aucune de ces existences ne tient compte de moi, elles me contournent comme l'étoile défie le néant. Moi, je défie quiconque de surprendre la vraie nature d'Éléonore. Sur le sable, elle est escargot ou conque instantanés, mobiles et transformables de la lisière des orteils au sommet de la tête. Et cela tourne, vire, mue, glisse en saccades liées par le roulement des vagues, cela engendre le mouvement perpétuel.

— Tu as de la chance, Emmanuelle, parce que tu es riche. Mais moi aussi, je serai riche un jour et j'aurai un château!

Je la regarde si fixement qu'elle se crispe un peu, se noue sur son corps soudain exposé sans défense.

— Dis que je suis belle, Emmanuelle!

— Tu es belle, Éléonore, et je te plains.

J'ai craché sur elle, mais je ne l'ai ni souillée ni même atteinte. Elle s'est résorbée en elle-même avec une incroyable facilité. Écœurée par sa résistance, je l'ai abandonnée à Jubald. Il ne tardera pas à la rejoindre. Tant pis pour elle : il ne l'épargnera pas ! Un intolérable désir le pousse vers sa jeune chair, sa parfaite, sa mirifique beauté. Leurs noces me pâment et me déchirent. La puissance de leur baiser allume toutes braises en moi, me consume de honte et d'envie. Elle n'a pas voulu obéir et courir à l'abri qui l'eût dérobée à sa fatalité. Je souffre mais pas autant qu'elle souffrira !

Ma satisfaction de savoir Hildegarde trompée s'émousse. Jubald passe toujours ses nuits avec elle, non ? Cet amour corollaire n'enlève rien à ma mère. Si quelqu'un est bafoué en ce moment, c'est moi, et je ne pardonne jamais. Le remords possible de Jubald, ses doutes ou sa détresse, je n'y pense pas encore ; j'y penserai lorsqu'Éléonore aura cédé à mes objurgations, à mes menaces ou au chantage. Qu'est-ce donc qui me retient d'avertir Hildegarde de ce qui se trame ici ? Je ne crois pas qu'Éléonore soit amoureuse de Jubald. Mais elle me résiste désagréablement comme si j'étais sa complice ou une partenaire compromise dans l'affaire. Je l'abattrai ! À mon heure, je lui apprendrai le respect de notre pacte, les limites de son rôle de petite putain, je l'enverrai paître à l'envers du décor.

— Que penses-tu de Geoffroy, ma chérie ? interroge Hildegarde, au moment du potage.

Je réponds, avec la bonne volonté pincée d'une jeune fille du monde prise en flagrant délit de rêverie :

— Il est charmant et très bien élevé, n'est-ce pas, Jubald ?

Jubald sort à reculons de son assiette et de son propre rêve.

— Charmant et extrêmement doué.

Il s'est aussitôt tourné vers Hildegarde, absolument indifférent à ma réponse, comme j'ai spontanément détourné la question de ma mère ; nous tenons Jubald dans un étau doré !

— Je le prends avec moi, Hilda, qu'en dis-tu ?

Hildegarde s'exprimera-t-elle jamais autrement que selon les schémas de Jubald ? Elle sourit et elle approuve. Il décide et il planifie. Ils sont à nouveau une seule force dont le dynamisme prépare et manigance l'avenir. Je me suis mordu la bouche au sang : ils monteront se coucher à l'heure des poules, et ce sera peut-être à cause de ma maladresse !

— Ce potage est excellent, Olga !

Moi je trouve qu'il goûte le sang, le sang terriblement amer de mes propres veines. Je suis mon vampire et je suce mon âme avec avidité, afin qu'il n'en reste pas une goutte, pour qui que ce soit. Geoffroy aura la tête pleine de nombres alignés et balancés, il aura des usines en ordre plein le crâne et le roulement mou de milliers de machines scandera son destin. Jubald n'a pas de fils et celui que Hildegarde porte peut-être arrivera trop tard pour prendre la relève. Geoffroy, pour lui, c'est la promesse, la filiation, la passation des pouvoirs, c'est l'avenir en piste.

Il fait chaud et doux. Les moustiquaires laissent entrer le paysage sous la poussée de la brise. La véranda est encore toute dorée par le couchant. Hildegarde et Jubald ont commencé dans la balancelle leur quotidienne méditation. Ils me regardent, stupides et attendris, mais ne me voient pas.

— Tu viens, Gertrude, on fait un set ?

Raquettes, espadrilles, balles, nous volons au tennis. Je n'ai pas invité Éléonore, à dessein. Je veux qu'elle se ronge d'amertume devant Jubald et Hildegarde enlacés dans la balancelle, muets, en extase devant leur amour mis à scintiller sous les premières étoiles.

3

20 juillet

Gertrude prépare les malles, elle comprend à cent milles à l'heure, elle, ce n'est pas comme sa sotte de sœur ! Je profite donc de l'absence momentanée de Jubald pour me débarrasser de mes invitées. J'ai vu Éléonore filer vers le lac et je me jette aussitôt à ses trousses. Je n'ai plus de temps à perdre car elle se moque de mes avertissements. Hier soir, elle m'a effrayée. Son refus de partir est devenu une espèce de pierre au cou, trop pesante pour moi.

— Tu ne comprends rien, Emmanuelle. Je l'aime. Je ne fais mal à personne, je l'aime !

Ses yeux jetaient des éclairs sous la lampe, se troublaient, redevenaient insupportablement limpides et ces métamorphoses successives plongeaient mon âme dans un chaos d'irritation et de désespoir. Pour aimer avec cette tiède ostentation du corps et de l'âme, il faut qu'Éléonore soit sûre de Jubald. Le champ de ma respiration s'est rétréci à un univers de criquet : la touffeur épaisse de l'herbe surchauffée. Je dois admettre que je n'avais pas non plus prévu que Jubald s'attacherait réellement à elle, qu'il tomberait dans un piège aussi grossier. Cela change tout, ma tactique, mes obligations, et m'accule à des actes plus ou moins répréhensibles.

Elle pleure sur le ventre, les bras repliés sous le visage. Je m'écarte aussitôt du piège de la pitié : tant de beauté, tant de ferveur outragent mes droits et les compromettent. Je répudie Éléonore, je la renvoie à ses jeux de courtisane, je l'éloigne à tout prix.

— Laisse-moi rester encore, Emmanuelle !

C'est de l'obstination, de l'aveuglement, de la folie ! C'est du courage, c'est l'inflation de toutes les forces femelles en concurrence ! C'est exactement le spectacle le plus susceptible de me mettre en rogne, de libérer en moi la plus grande et la plus aveugle hostilité. Malheureusement, Éléonore croit que son pouvoir agira sur moi : elle a l'habitude de faire des victimes.

— Emmène-moi sur le lac, Emmanuelle, je t'en prie ! Laisse-moi une seule chance de t'expliquer !

Elle l'aura cherché : je lui concède cette dernière chance et nous partons nous promener sur le lac.

25 juillet

J'apporte des gentianes au cimetière. Pas de fleurs sacrées, de glaïeuls à gueule triste, d'orchidées veinées de mémoire. C'est une visite d'adieu ; je ne reviendrai pas ici, la saison est terminée. Mais cela ne serait pas arrivé si Éléonore m'avait écoutée, si elle avait eu la peur ou le pressentiment de mourir. J'ai poussé le yacht à fond de train.

— Promets de partir, Éléonore !

La vitesse avait déclenché son fou rire, elle débordait de joie, de foi en son destin, et cela lui sortait par la peau, la bouche et les yeux.

— Tu me comprendras quand tu seras amoureuse à ton tour !

Son rire agitait des grelots sur chaque syllabe.

— Mais je le suis, ma chère !

— De Geoffroy ?

— Non, de Jubald.

Le reste de son éclat de rire s'est déchiré en petits morceaux qui m'ont frappée au visage aussi durement qu'une volée de cailloux. Je me suis jetée sur elle et je l'ai poussée. Elle est tombée dans une spirale de lumière au fond du lac. En quelques secondes, j'étais si près de son corps tourbillonnant que j'ai craint de l'avoir défigurée. Je suis revenue vers elle. Elle remontait à la surface, veulement, sans crier mais toujours aussi lumineuse, le visage marqué par la seule crispation de l'agonie. J'ai viré, viré, jusqu'à ce qu'elle disparaisse tout à fait, puis j'ai lancé le signal d'alarme. Elle emportait mon secret et cela pouvait expliquer l'apaisement soudain de mes nerfs, le repos bien mérité de mon esprit. J'ai eu également l'impression très nette qu'elle voulait mourir. Pourquoi pas ?

26 juillet

Je ne devrais pas écrire ces choses. Éléonore est morte noyée et je me console tant bien que mal des ravages qu'elle a laissés dans mes plates-bandes. Personne heureusement n'a prétendu que j'aurais pu sauter du yacht en délire et la sauver. Au contraire, on me caresse, on me plaint, on me console. On me casse les pieds. Satan me fixe avec plus d'insistance que jamais, mais je me retire dans mon deuil avec componction. Je me suis rendue au cimetière pendant trois jours, ponctuellement. Jubald ne mange plus. Il ne parle pas. Il est anéanti d'impuissance et d'égarement. Hildegarde se tient coite. Elle vient de perdre son enfant. C'était un garçon, il aurait été un fils pour eux et mon frère. Je n'ai pas souhaité posséder un frère de toute façon. J'aurais une seule bonne raison de le laisser vivre : Hildegarde redeviendra la dangereuse égérie au ventre plat et au redoutable pouvoir d'attraction. Gertrude nous a quittés en larmes, n'ayant rien compris à ce qui se passait, et j'ai bien peur de ne plus la revoir. Jubald a plongé dans sa douleur tête première et n'en sort plus, ne veut rien voir ni entendre qui puisse l'en distraire. Aussi longtemps qu'il demeurera insensible aux pièges que je tends sur son passage, je me traînerai les pieds et me traînerai l'âme dans des journées vacantes.

Il me faut de l'action, pourtant ! Pourquoi ne pas consacrer mon temps perdu aux mathématiques ? Si j'ai besoin d'explications, qui mieux que Jubald me les donnera ? Hildegarde approuve mon initiative avec attendrissement. Je crois qu'elle m'est reconnaissante d'avoir trouvé cette solution à l'ennui qui s'est installé en nous et autour de nous. Peut-être espère-t-elle amoindrir ainsi le deuil perfide qui nous isole, lui et moi, dans le tumulte de mes sens attentifs à sa présence. Car il a accepté humblement de m'aider. J'ai du rattrapage à faire en vue de la prochaine rentrée. Ne suis-je pas trop jeune pour ces bouleversements et ces épreuves ? N'ai-je pas perdu grand-mère Blanche et mon enfance, mon père et mon amie dans un cataclysme naturel qui menace mon équilibre ? Hildegarde ne sait plus à quels saints me vouer ! Je tâche, par mon application, de lui adoucir le passage difficile jusqu'à son deuil, de lui éviter le frôlement de la peine inexprimable de Jubald... Profitons-en, cette sagesse ne durera pas.

4 août

Rue des Vasques, quelles splendeurs ! J'ai toujours habité des maisons immenses, chez grand-mère Blanche par exemple où j'ai connu le luxe indispensable de greniers et de celliers profonds. Mais ici, tous les désirs, même inconnus, étincellent, métamorphosés en bibelots exotiques, en meubles, en miroirs ouvragés, en couleurs qui exercent sur moi une véritable fascination. Je pourrais rester des heures en contemplation devant la forme d'une lampe ou l'énigme d'un tableau.

Mon zèle pour les mathématiques s'est refroidi : j'avais oublié que Jubald possède des joujoux colossaux, des usines, des bureaux qui le tiennent occupé toute la journée. Je ne peux pas tout savoir et il m'arrive encore de mordre la poussière devant ma mère plus habile que je l'imaginais. Est-ce à cause d'elle que j'ai hérité d'un programme d'études si chargé, si subtilement aride et complet que je pourrais méditer des journées entières rien que devant l'horaire qu'on m'a dressé ? Je voudrais croire que Jubald en a pris l'initiative, mais je constate avec dépit qu'ils sont déjà réconciliés et parfaitement capables de reprendre leur bonheur là où ils l'avaient laissé. C'est à deux désormais qu'ils ont perdu un fils.

Sans doute est-ce à cet avorton que je devrai la présence quotidienne de Geoffroy. On dirait que Jubald me jette dans les bras de son enfant prodige, qu'il a compris que je complote et intrigue contre lui dans mes temps libres. Geoffroy évidemment sait tout en matière d'arithmétique, il remplacera adéquatement Gertrude, c'est l'évidence même, et je n'aurai pas à lui montrer de reconnaissance. Il résout les problèmes les plus complexes. Il tentera vraisemblablement de régler ceux de mon cœur et je lui souhaite bonne chance. Il constitue sans doute l'alibi dont ils ont besoin pour me tenir à l'écart. De toute manière, je déteste leur trio bienveillant qui baigne dans l'huile, fonctionne sans douleur et prétend m'intégrer à son univers constitué. Il m'arrive de temps en temps de regretter Éléonore, de reprocher à ses mânes frais leur précoce destin. Parfois, j'aimerais recommencer différemment notre aventure et peut-être rendre à la vie son corps et son âme, leur accorder une sorte de sursis.

On ne parle jamais d'Éléonore, non seulement parce qu'elle est morte, mais comme si elle n'avait jamais existé. Ou, si l'on en parle, c'est pendant mes absences et lorsque je me réfugie dans la solitude de ma chambre pour redevenir ce que je suis. Alors, ils s'entretiennent librement de moi, pour me plaindre et m'aimer à leur aise sans que je m'interpose. Ils ne devineront jamais que j'ai tué. Cela dépasse l'imagination, cela échappe à leur sollicitude. Je me demande ce qu'ils auraient fait s'ils avaient découvert que je suis coupable. Car j'ai de la mémoire, moi. J'ai mal aux sens, au cœur, à la tête. Je suis dans ma peau une étrangère superficiellelement apprivoisée, une immigrante jaillie toute nue de l'instinct des voyages. Je masse le cœur bleu de mon enfance qui n'a plus de pays. Je n'ai plus d'alliés non plus : licornes sculptées dans l'os de mon crâne, désirs en fumée, délicats souvenirs. Il ne me reste absolument rien pour vivre. Pendant une minute entière, je réussis de temps en temps à faire le vide et à plonger dedans sans me blesser. À la longue, j'y perdrai de plus en plus mon temps, je parviendrai donc à tuer le temps. Il y en a qui vendraient leur âme au diable pour un peu de temps à tuer ; moi, c'est l'inverse.

6 septembre

Ô la sollicitude du père, de la mère, du frère, chère sollicitude familiale ! J'ai fait le trajet de la rue des Vasques au collège, la tête sur l'épaule de Jubald. Il a tenu à me conduire à l'école en ce rigide matin de rentrée. J'aurais voulu, sous les yeux éblouis des filles et des garçons, baiser la belle bouche silencieuse de Jubald, me blottir sur ses genoux, faire la démonstration complète et irréversible de mon amour. Je lui serre timidement la main.

— Bonne chance, Emmanuelle !

Il touche mon front lentement, l'air un peu ahuri. Je n'ai jamais été si près d'avouer le scandale et le désarroi de mon amour. Ma retenue me fait physiquement mal, des entrailles à la nuque je suis parcourue d'une douleur si vive que je grimace laidement.

— Jubald, venez me chercher ce soir. Je vous attendrai.

Il n'a fait qu'un imperceptible signe de la bouche ou des sourcils, mais c'est oui.

Impossible de retrouver Gertrude dans la cour et dans les couloirs. Je vais être obligée de courir aux informations et on me voit venir, l'air futé et malsain.

— Elle a changé de collège. Elle a d'ailleurs déménagé. Mais tu dois le savoir?

On me tourne aussitôt le dos, cette absence n'a pas d'importance, des dizaines de camarades quittent l'école chaque année, pour une autre école ou pour nulle part. Qui s'en soucie? Je suis décidée: dès aujourd'hui, je ferai cavalier seul. Équations pour une amazone seule.

15 septembre

Désormais, Geoffroy Davis habite rue des Vasques. Jubald l'a en quelque sorte adopté, mais il ne lui donnera pas son nom; il espère trop que nous fondrons un jour l'un dans l'autre ceux que le hasard nous a octroyés. Je préfère ne pas y penser. Geoffroy m'est très utile: il me sert de frère, de garde du corps, de répétiteur, de champion quand il en faut absolument un.

Comme je veux rester fidèle à ma politique d'isolationnisme au sein de l'école, la présence de Geoffroy règle les problèmes que cette attitude entraînerait. Je suis honorablement et indiscutablement classée parmi les intouchables.

Mais qu'est-ce que nous devenons, vous et moi, Jubald ? La route ouverte par Éléonore est pavée d'obstacles et d'interdits, de malentendus vertueux et concupiscents. Grâce à Geoffroy, mes études poursuivent leur cours à la satisfaction de ma mère. Quant à moi, je n'exige pas d'être heureuse, je préfère laisser libre cours aux intuitions qui me guident et occupent mon ambition. La sagesse et la patience ne me regardent pas. D'ailleurs, est-ce que je sais ce qui nous attend au bout de ce cheminement sans queue ni tête ? Geoffroy pourrait devenir une victime, mon frère ou un martyr. Il me regarde à longs traits incrédules, il se tait à lentes gorgées de salive, lorsque je l'accable. Il voudrait me réduire à la netteté des nombres, mais je déjoue l'algèbre privilégiée de ses calculs. Geoffroy m'aime ou essaie d'y parvenir, se dit certainement qu'il a toute la vie pour y arriver et pour se faire aimer de moi. Je ne me flatte pas de cette tentation qu'il a de me plaire, je m'en empare, je m'en empanache. J'ai des bois d'orignal tout le tour de la tête. Rien de plus plaisant que de jouer avec le feu de son cœur quand Jubald nous observe, même si son âme obtuse n'y voit justement que du feu. L'éducation sentimentale de Jubald est bien primaire.

Celle de Satan, par contre, m'oblige à des

échanges de politesse et des attitudes infantiles surtout lorsqu'il m'espionne dans le rétroviseur. Donc je me laisse embrasser par Geoffroy sur le front et sur la joue quand nous nous séparons.

Il aura hâte d'être au soir, mais il n'en travaillera pas moins avec la précision et la conviction d'un automate toute la journée. Ce matin, il se réjouit puisque c'est jour de chimie. Les éprouvettes bouillonnantes jaillissent de ses yeux et de ses doigts. Des formules ioniques explosent en arcs-en-ciel sur ses dents. Je le soupçonne d'oublier sa passion pour moi dans le secret d'un peu de mercure et d'une pincée de cendre. Je lui tends mon front. Il lui arrive d'effleurer ma bouche, par distraction. Je n'ouvrirai les lèvres que pour Jubald, quels que soient les soupçons de Satan. D'ailleurs, Geo et moi sommes trop jeunes pour nous embrasser vraiment. Satan nous guette inutilement. Je jure de rester fidèle à Jubald, de ne nommer que lui au plus profond de mon amour. À un moment ou l'autre, je fais intervenir l'amour pour qu'il absorbe certains doutes, pour qu'il rétablisse ma liberté. Ce fignolage ne règle pas tout pourtant.

Effectivement mon désir demeure inavouable, mon amour paraît ignominieux. Jubald est mon père et son innocence mérite mon respect. Il n'exige rien de moi que l'innommable humiliation de l'aimer sans retour. Il est mon père et je ne suis pas son enfant. Tout est possible. Je ne veux pas qu'on m'enferme dans un cercle de famille, je refuse qu'on m'impose une filiation, une généalogie, une histoire destinées à m'étrangler dans mes élans et mes espoirs. Suis-je venue au monde uniquement pour moi ? Je ne trouve pas de mots pour décrire mon sentiment, à Jubald ni à personne. Mais le fait est que cette rumination continuelle retarde la pétrification de mon amour. Je dévie sans cesse, insidieusement, de la rencontre initiale, du coup de foudre originel qui n'a...

— Mademoiselle ne descend pas ?

Ô l'ironie insoutenable du regard de Satan ! Je lui tire mentalement la langue, je lui enfonce fictivement mes ongles dans la nuque ! En réalité, je m'empresse de quitter la voiture et je claque la portière car il ne s'est pas dérangé pour moi. Je le dénoncerai à Jubald, j'exagérerai son impolitesse et son manque de style. On verra bien qui rira le plus fort.

— Tu seras renvoyé, Satan, je te le promets !

Mais il sait bien que je ne parlerai pas. J'ai besoin de lui.

4

7 juillet

J'ai vingt ans ce matin. En ce moment même, Jubald et Hildegarde voyagent en Europe. Je me sens à la fois très vieille et très jeune. J'imagine qu'il en est de même pour toutes les filles qui accèdent à la vingtaine et qui ont commencé à organiser leur avenir. Je ne me préoccupe pas de mon avenir, mais tant d'autres le font pour moi que je partage le sort de toutes les filles de cette époque : on ne vous laisse pas sécher sur place, on vous protège à tour de bras ! Quand Hildegarde m'a demandé, il y a six ans, de trouver un nom pour cette propriété destinée à remplacer *Les Cygnes* durant l'été, je l'ai très mortifiée en la baptisant *Les Sangsues*, mais elle n'a pas osé protester. Elle a ravalé sa déception et sa colère. J'admire cet aspect de son caractère qui lui permet de se marcher sur les pieds avec une certaine élégance. Évidemment Jubald et Geoffroy ont imité son attitude. Tant pis pour eux !

8 juillet

Les Sangsues sont lie-de-vin et blanc. Elles sont l'unique habitation de notre île perdue. Je peux pratiquer le bronzage intégral sans déranger les voyeurs. Aïda s'est résignée à me voir toute nue dans le paysage et Geoffroy ne songe qu'à m'épouser. D'ailleurs je ne m'expose qu'avec discrétion, ayant désespéré de scandaliser qui que ce soit. Le rameur solitaire qui m'a surprise il y a quelques jours s'en souviendra longtemps : c'est mon coupe-papier qui lui a lacéré la tempe et lui a laissé la balafre sanguinolente qu'il portera pour la Saint-Glinglin et jusqu'à la Saint-Valentin, j'espère. Ici, on se fait respecter comme on peut ; chaque île a sa police, son code pénal, sa charte des droits. Ma victime n'avait qu'à aller ramer ailleurs.

15 juillet

Ma solitude ne sera jamais assez grande ni assez complète pour ce que j'ai à réaliser : l'augmentation systématique de ma collection d'insectes, de mon herbier, et l'étude des oiseaux et de leurs chants. J'approfondis également l'écriture poétique. Geoffroy alimente mon enthousiasme par une collaboration scientifique assidue. Depuis longtemps déjà, je sais que mon âme est vouée à une autre vie, une vie frileuse, pleine de fièvre et d'ombres, une vie qui ne tient à mon existence matérielle que par un fil, celui de la liberté. Je l'appelle poésie, peut-être à tort. Je l'appelle liberté parce qu'elle avoue l'inavouable, parce qu'elle défie l'absolu, parce qu'elle revendique l'inaccessible. C'est important pour moi qui possède tout, de jouer le tout pour le tout. Cela me fait remonter dans ma propre estime.

Je me regarde écrire ; la première fois, j'ai dix ans peut-être. Je m'ennuie ou j'ai peur ; ces deux sentiments ne sont jamais nettement séparés chez moi. Jubald ne viendra pas aujourd'hui puisqu'il est en voyage. J'ai besoin de la lumière de sa présence. Pour la première fois, quelques mots sur le papier interceptent cette lumière, par magie, par osmose, par métamorphose du soleil. Pendant une heure, peut-être trois, je m'amuse à scruter les incroyables mots, à en varier la formation rigide, à en déplacer les syllabes magnétiques. Il est question de chevalier et d'une armure d'émail. Je précipite la course d'un cheval de cristal noir, j'identifie l'objet (un écu doré) que Jubald tient sur sa hanche gauche, la dague fine qui lui ravage le cœur. Les mots resserrent leur emprise, flamboient lorsque le chevalier Jubald franchit le seuil de ma chambre. Je suis clouée au mystère de l'incarnation de ces mots lâchés par désœuvrement sur le papier gris — j'écrirai souvent sur du papier gris — si bien que l'absence devient le premier mot à rayer de mon vocabulaire.

Premier vertige de la poésie : Jubald est acheminé jusqu'à ma conscience et mes sens profonds grâce aux jeux de la parole. Je découvre aussitôt l'étendue de ce pouvoir que j'applique scrupuleusement à tous les mots, mais surtout à ceux des vieux livres et des journaux jaunis, des missels collectionnés par grand-mère Blanche, des partitions oubliées dans un banc de piano mis au rancart. Jubald me dira plus tard qu'il existe des livres de poésie et il m'en offrira plusieurs. Je les lirai tous, mais pas avec un égal plaisir. D'ailleurs Gertrude me les rendra sans les avoir lus, me réclamant des récits et des romans, des gâteries et autres cadeaux plus agréables. Je comprends à cause d'elle que le pouvoir de la poésie n'est pas universel, que Gertrude est condamnée à l'ennui, à l'absence, à la peur et moi, pas. Moi, je peux faire résonner des mots qui avaleront le silence et ses fantômes avec. J'y dissoudrai mes colères et mes contradictions, j'y mettrai mon âme en apprentissage et à l'abri. Il faut protéger son âme des forces de l'extérieur qui tentent de s'en emparer. Quand elles ont mis la main dessus, elles la défigurent, la violent, la tourmentent, vous la rendent en lambeaux.

Ces forces ont amorcé leur œuvre en moi. Sais-je ce que je deviendrai sous la torture continuelle ? Non seulement je m'abîme le cœur qui baigne dans une terrible ignorance, mais je m'épuise, pour ainsi dire, l'esprit.

La vie de l'esprit a beaucoup d'importance pour moi. Je sais qu'il est ridicule de l'affirmer que je ne vais pas plus loin que mon nez en le faisant. Si j'accumule tous les pensums, les sanctions, les colères qui accompagnent une période de disette spirituelle, je me rends compte que la longueur de mon nez a beaucoup d'importance. Dans ces moments de famine, j'ai envie de me livrer à la persécution systématique de mon entourage, de m'acoquiner avec ce que la ville contient d'éclopés, d'imbéciles, de filles perdues, parce qu'ils sont ce qu'ils sont, alors que je me traîne dans mon ombre qui ne me mène nulle part. Autrefois j'avais un père éblouissant à qui je donnais la main pour qu'il me fasse traverser cette ville de poux et de rats sans le moindre danger pour moi. Aujourd'hui, je dispose de la patience et de l'habileté de Geoffroy, mais je préfère qu'il ne sache ni d'où je viens ni où je vais. Avec le cerveau qu'il a, il représente la menace la plus aimable que je puisse subir. Je ne veux surtout pas être amoureuse de Geoffroy.

16 juillet

Jubald et Hildegarde rentrent demain. *Les Sangsues* sentent la pivoine et l'herbe, et Aïda n'arrête pas de fredonner. Je ne sais trop comment préparer le retour de Jubald. Je manque d'imagination, mais je crois surtout que je supporte mieux son absence que cette promiscuité hypocrite où il multiplie la distance rien qu'en levant le petit doigt. Loin des yeux, loin de moi !

Je ne suis pas toujours en colère. J'ai étudié toute l'année la microbiologie. J'ai encadré somptueusement mon minable diplôme. Mon parchemin à sceau rouge voisine donc ceux de Jubald et de Geoffroy dans la bibliothèque. Je me suis glissée entre le doctorat ès sciences de mon père et les succès en chimie industrielle de Geoffroy. Ils ont accueilli avec grâce la compatriote de Leeuwenhoek, le cobaye invétéré de Eberth, le premier amour de Koch, la dernière victime de Neisser. Je suis quelqu'un dans ce repaire de savants et de docteurs, je ne doute ni de mon importance ni de mon pouvoir. J'arbitre des duels de pneumocoques, je dirige des invasions de bactéries. Derrière mon cadre protecteur, j'annonce des persécutions de bacilles, les raz-de-marée septiques des prochaines décades. L'an prochain, j'étudierai les serpents, les venimeux d'abord. Je rêve de couvrir la planète de boas *constrictor* et d'amphisbènes, de couleuvres et d'iguanes. Ce sont de très beaux et très innocents animaux.

Quoi qu'il fasse, Geoffroy est d'abord mon frère adoptif. Je l'aimerais peut-être, par pitié ou par dévotion, s'il était malingre et chétif. Mais il est grand, beau, sportif et intelligent. Il combine, en un seul mouvement parfois, les quatre-vingt-dix-huit leçons d'architecture que j'ai prises en cours du soir avant mon voyage à Mexico, l'an passé. Son bras brandissant la raquette au tennis élève une quadrature de gratte-ciel aux rigoureuses proportions. Il monte admirablement à cheval, ce qui m'agace car l'admiration est un sentiment dont je me lasse très vite. Geo et moi tâchons de profiter sensément du royaume des *Sangsues* pour ne pas décevoir Jubald. Je prends mon frère par la main et nous nous jetons du haut de la falaise, comme deux grands aigles royaux. Je prends mon frère par la taille et nous décidons de l'avenir des peupliers et des chênes.

Un jour, je me rapprocherai de Geoffroy, il écoutera mon discours sans cohérence et le traduira, sans me reconnaître peut-être, il me prendra le bras et aplanira cette route hérissée de barrières où je me suis étourdiment engagée. Seule avec Geoffroy, je mène la vie tranquille et champêtre d'une anachorète endurcie. La carte postale de Hildegarde ne m'inspire qu'une charmante et reposante indifférence. Les sangsues me chiffonnent infiniment davantage: je n'en reviens pas de leur capacité d'absorber le sang et de décupler leur volume.

— On va à la pêche, Emmanuelle?

— Tout de suite!

J'ai les mains pleines de sangsues, d'hameçons, d'appâts et de mouches, je suis en extase et retiens mon souffle. Geo réunit nos cannes à pêche, les gibecières, des bottes, un chapeau de paille pour moi. Allons à la pêche, au diable ou au bout du monde, mais ne restons pas là, dans de la confiture de hirudinées. Allons tendre nos pièges au-dessus des remous à l'ombre des salicacées.

— Emmanuelle, je vais te poser une question. Tu ne répondras pas tout de suite. Je viendrai chercher la réponse quand tu auras bien réfléchi.

— Tu viendras ? Tu t'en vas donc ?
— Oui. Je te dirai pourquoi.
— Alors, ta question ?
— Veux-tu m'épouser ?

Geo enjambe les pierres comme une grande échasse, il fond dans le remous, il a disparu corps et biens dans le gouffre. Puisque je ne dois pas répondre, je ne réponds rien. Je pêche l'omble et je suis muette. Lui et moi avons l'habitude des plus longs silences du monde, des plus synthétiques conférences. Nous nous comprenons et ne nous comprenons pas en aussi peu de mots que possible. Nous formons une armée d'annélides féroces à jeun depuis sept ans et sept jours. Un bien-être sans limites me pénètre.

20 juillet

Je fais toujours mes adieux dans les gares : ils sont moins longs et plus vrais. J'approuve sans réserve que partent ceux qui s'en vont. Geoffroy va parfaire ses parfaites études à Londres, fort bien ! Adieu Geo, vieux frère, adieu camarade, prends la clé des champs ! Fais tout ce que tu voudras. Hildegarde pleure et Jubald a les tempes prises dans une fronce amusante qui l'empêche d'en faire autant. Le sourire ambigu de Satan me rend coupable et responsable de je ne sais quoi et m'interdit toute parole de consolation. Je traîne les pieds, je traîne le temps. Je traîne la gare dans mes talons.

— Je rentre à pied, ai-je annoncé à haute et intelligible voix.

Personne n'est surpris. On suppose que je dois mourir de chagrin. Satan rafle tout le monde dans son enfer roulant et je reste seule, démise de mes fonctions pour une période indéterminée: sœur, fiancée, pupille, je ne suis plus rien. Cette vacuité n'est pas aussi agréable que je le prévoyais, à cause de l'extraordinaire disponibilité de Geo quand il est là. Sans lui, je n'ai pas de complice ni d'ange gardien, je n'ai pas de nez et pas d'oreille en double. Geoffroy tenait une place incalculable non seulement dans l'espace mais dans les creux de chaque heure d'ennui. Il connaissait la mesure secrète de toute chose, alors que Hildegarde et Jubald n'ont pas cessé de me tourmenter. Je voudrais être candidement fidèle à Geoffroy et croire qu'il occupe réellement mon être. Mais ce fragile édifice d'illusions tombe en ruines déjà: Jubald est revenu plus séduisant que jamais.

23 juillet

Un copain. Qui? Luc? Marcel? Aucun copain ne va à la cheville de Geoffroy. Je retourne à ma solitude d'insulaire. Je dors sur un pneumatique à la dérive. Aïda m'observe avec presque de l'amitié: elle est dans les confidences de Geo et savoure ma tristesse. Hier, j'ai écrit une première lettre à Geoffroy. C'est une espèce de poème sur lequel il se cassera la tête et s'arrachera les cheveux, s'il veut y comprendre quelque chose. Je m'éloigne toute la journée des *Sangsues,* je passe la canicule sur l'eau et je lis William Shakespeare allongée sur un pneumatique sans boussole. Je me tiens ostensiblement à l'écart de Jubald et mon journal de bord atteint le volume de mémoires accumulés pendant des siècles. Cette boulimie soulage la tension de mes os et de mon sang.

À quoi consacrer ma vie, moi qui ne supporte pas le gaspillage du temps précieux, qui cultive l'insomnie comme une vertu ? Je mets en doute l'unique certitude que je possède : mon amour pour Jubald, mon amour braillard et têtu. Évidemment je me consacrerai à la poésie (j'écrirai des montagnes de livres) et à la comptabilité (des montagnes de chiffres). Je pourrais administrer ma fortune moi-même ou chasser les pneumocoques dans le but de soulager l'humanité souffrante. Mais l'humanité peut souffrir en paix, je ne troublerai pas ses ulcères ni ses cancers. Je lui laisse la jouissance de ses épidémies et de ses calamités. L'humanité ne me fait pas un pli, elle ne m'intéresse pas. C'est une vieille commère qui pue et parle à travers son tablier.

Éléonore et grand-mère Blanche m'ont donné mes premières leçons de séparation, mais le départ de Geo a quelque chose de si brutal que j'en suis déséquilibrée. Je m'appuyais sur sa solidité, je m'immergeais dans son immobilité, et voilà que le socle s'effondre et que je me retrouve flottant entre deux ondes, espèce d'épave qui ne se souvient pas d'avoir été un bateau... Mon enfance s'estompe, s'enfonce dans des limbes mystérieux. L'ennui m'absorbe peu à peu, il me grignote, je rétrécis à vue d'œil, je me résorbe dans cette mâchoire molle, lady Macbeth me sort par le nez, Ophélie me ronge les ongles.

Mon ennemi à la tempe coupée est revenu. Je lis de l'admiration sous son front buté. Il me remercie de la brèche que j'ai pratiquée dans son orgueil et sa veulerie me fait lever le cœur. Il a pris pour de la vertu mon geste de mépris et de dégoût. Je me suis défendue à son gré, je suis digne de ses confidences et de son respect. Froidement — puisqu'il ne doute de rien — je fais chavirer son radeau fleuri. Après tout, il ne sait peut-être pas nager.

5

31 octobre

De Londres, Geoffroy m'écrit: « Je traduis tes poèmes, William Smith va les publier. » En fait, il accomplit des miracles pour me convaincre de son amour. Depuis son départ en juillet il m'adresse de longues lettres minutieuses qui me rendent compte d'un univers où je n'ai aucun désir et nullement la prétention de pénétrer. Je lui réponds par des envois volumineux de poèmes qui le tiennent en alerte, humilié, bourdonnant et rayonnant d'une santé qui m'éblouit. Il accueille ma poésie dans le but avoué de s'emparer de mon âme. Il m'envoie ses traductions. Impossible de douter de sa subtilité et de son intelligence. Il possède les clés de mes énigmes ; le don des langues lui permet de me les renvoyer sous forme de poèmes anglais, grecs ou arabes, ses trois langues de prédilection, après la nôtre ! Je le surveille étroitement, je garde à l'œil l'espion aux mains de papier. Il est le seul en fait qui dissipe l'ennui en moi et autour de moi. À force de vouloir fermer les yeux, je parviens à nier les apparences de Jubald et à perdre sa piste.

Jubald et Hildegarde se réjouissent du flot continu de nos échanges. Ils en ignorent la nature et les limites austères. Ils écoutent le murmure postal de « leurs » enfants : la duperie de cette floraison d'encre et de papier leur échappe, mais je ne ferai rien pour les détromper. Ce n'est pas à moi de les éduquer, de vérifier leur hypothèse ou de soulever leurs soupçons. Ils ne méritent pas tant de dévouement.

8 novembre

Je suis à Londres pour trois jours. Geoffroy a réussi à me convaincre et m'emmène rencontrer William Smith. Ce dernier, sans en avoir l'air, observe et scrute cette femme qui vient d'entrer dans son bureau, s'assoit tranquillement et ne fumera qu'une cigarette avant d'engager sa voix dans la conversation que rythment les deux voix viriles dans ses oreilles. William Smith rumine et cherche, dans le fouillis des espèces, celle que je représente, maintenant de corps et de visage, jusqu'alors flambée imaginaire de toutes les femelles tournoyant sous son crâne effervescent. Il fulmine contre la distance et la profondeur de l'océan, la volatilité du temps et les artifices de la parole humaine. Il se jette à mes pieds.

— Vos poèmes auront beaucoup de succès, Miss.

Geoffroy m'engage traîtreusement à signer mon nom au bas du contrat. Je paraphe et je force ma signature déjà excessive. Je dévorerai William Smith après l'avoir étranglé avec l'une des L de mon prénom.

9 novembre

C'est en rouge que j'ai voulu paraître à la réception que William Smith donne en mon honneur. J'ai l'habitude d'éponger la lumière trop voyante, d'abolir le bruit inutile, j'ai une conscience de papier buvard. William Smith me présente sa cour, m'imprègne du mouvement fallacieux qui les importe, elle et lui, dans un immense glouglou d'air irrespirable. Je rejette tout par les yeux, le nez, les oreilles, le nombril, chaque pore dilaté jusqu'à l'éclatement. Il affirme que je plais à tout le monde, il flaire l'écarlate sur moi, la même brûlure que sur Éléonore, jadis, Jubald a allumée. Mais je n'ai pas envie de plaire à William Smith. Je ne suis pas Cendrillon et il n'est pas l'Enchanteur Merlin en personne !

10 novembre

Je somnole dans l'avion. Je n'ai pas averti Geoffroy de mon départ, je n'ai pas respecté l'ultime rendez-vous de William Smith. Je flotte et je m'ennuage. Je me consume, je me propulse au diable, à vau-vent, je malaxe l'air et la poussière à dix mille pieds au-dessus de Londres et de toute terre habitée. Ces deux hommes m'ont donné mal au cœur. Mon amour en langue étrangère me rendra célèbre ; en langue autochtone, il me désagrège et me gruge les os. Je retire mes gants, ma paume est blanche, à peine creusée, mes ongles polis en rose thé. Cette envolée racontera l'histoire de ma vie sans rien omettre. Tragédie ou comédie, elle répète que je suis la fille superfétatoire de l'homme que j'aime. William Smith ne sait pas qu'il ressemble à Jubald et qu'il ne le remplace pas. Geoffroy s'entête à rêver de moi, dans les rues de Londres, de Soho, à Trafalgar Square ou à Piccadilly. Une heure de plus et je me retrouvais tête première dans ce bar où défilent les étoiles filantes et les quarante mille moutons de ma dernière insomnie, William Smith sur une hanche, Geoffroy sur l'autre ; une seconde de plus et je cédais à l'insondable léthargie de tous mes songes, confondus en un seul exemplaire magique de mon premier livre intitulé *Deep Magic.* Deep magic, magie noire ! Je traverse la misérable éternité terrestre, l'œil haut, l'âme en transe, je pulvérise les records de tous les temps. Fuir, fuir !

Fuir à n'en plus finir puisque tout ce que je touche tourne cendres, puisque seul le vent a du panache.

Hildegarde monte la garde avec une fidélité de chien de berger. Je n'ai rien à lui reprocher, ce n'est pas elle qui comptera mes battements de cœur, qui dénombrera mes cris d'épouvante et de joie. Je n'aime pas les chiens, c'est tout, même ces splendides barzoïs qui n'oublient jamais leurs steppes caucasiennes et leur origine de tueurs de loups. Je ferme les yeux pour regarder passer le temps bleu de l'Atlantique, le temps moléculaire des voyages trop longs. William Smith a voulu me prendre dans ses bras. Il a voulu m'embrasser, abusé sans doute par les promesses de *Deep Magic,* par le génie de Geoffroy et les feux d'artifice de la poésie elle-même. Jubald, Jubald, ne les laisse pas me partager, m'épouser, me rompre, ils n'ont aucun droit sur moi. Celui qui mettra la main sur moi ferait mieux de vérifier si les poules ont enfin des dents! Mon amour est un oiseau de jais et de foudre, la corneille sans bon sens qui réussit, elle, à faire le printemps alors qu'une hirondelle n'y parvient jamais, et à tirer après elle tout ce que la terre et les cieux contiennent d'éclairs et de frémissements!

Geoffroy, ce matin encore, me berçait de confidences qui recelaient un aveu, une complicité. J'ai fait un bond de côté et laissé ses simagrées se fracasser contre les murs de la chambre. Elles doivent dégouliner encore le long des plinthes, gouttières d'œufs pochés par quelque cuisinière barbare. Pourtant, j'ai l'air calme et bon et doux qui sied à une jeune fille, du moins lorsque je ferme les yeux. C'est cette image symbolique que percevront les passagers du vol 318, qui les aveuglera au point qu'ils ne se souviendront jamais d'avoir voyagé dans mon sillage. Je leur épargnerai ainsi le souvenir même d'heures irrémédiablement perdues entre ciel et terre puisque cet avion ne s'écrasera pas, n'explosera pas, ne perdra pas le nord.

Un vol sans histoire, quoi ! Qu'aurait-il pu se passer de mémorable, d'historique, entre Londres et moi, je vous le demande ! Autant entreprendre la conquête de l'espace ou la démolition de l'Everest. Il a sa langue et moi la mienne, il a son cœur et j'ai le mien ! Geoffroy ne se pose pas ce genre de questions, lui. Il trafique de tout, aussi vertueusement que possible, il force mon admiration. Et si je ne me fatiguais pas si vite d'admirer, il n'aurait qu'un mot à dire pour que je lui tombe dans les bras.

Ainsi donc j'ai faussé compagnie à William Smith. Il m'attend ou ne m'attend pas dans un fameux bar de Piccadilly. J'ai évité de justesse les effusions de Geoffroy et les promesses qu'il médite d'une oreille à l'autre par nostalgie. Il ne comprend pas que mieux vaut ne rien offrir, ne rien prendre, que les mains vides sont plus belles que les autres. (Les êtres dépouillés exercent une attraction irrésistible sur les voraces, sur les boulimiques, mais ils se défendent bien.) Ce n'est pas assez pourtant pour occuper une tête vide pendant la traversée de l'Atlantique ! Je vais sans doute m'endormir ou boire un scotch sur les genoux de William Smith. Il me rappelle Jubald Elliott, il a le même âge, je crois, mais mon désir lui passe par-dessus la tête, à la vitesse du son. Je suis vraisemblablement accablée par certaines coïncidences, mais je ne me laisse pas emberlificoter aussi aisément.

Hildegarde ne m'attend pas ce soir. Je n'ai prévenu personne de mon arrivée. Inutile d'éventer à distance le remarquable piège de William Smith. Toutes les mères flairent perfidement la ruée des hommes qui séduiront leurs filles et les mettront sous verrou, en cage ou en laisse. Elles se réjouissent en secret de confier à ces champions les craintes et les hontes qu'elles ont d'avoir donné chair à des femelles de leur espèce. Elles ouvrent les bras des plus récalcitrants pour y insérer leur fille pubère hachée menu comme chair à pâté. Il ne faut pas leur en vouloir, j'imagine; elles vivent à l'épouvante, comme des toupies dans un cercle vicieux, leurs filles sur le cœur. Ne t'en fais pas, Hildegarde, je rentre sans histoire. La British Airways est aux petits soins avec moi. Une fille ne rassure jamais complètement sa mère, une vierge moins que toutes les autres, mais je reviens. L'Atlantique se change en pierre, en arbres et en saisons, il se couvre de neige fine. Ce n'est pas que j'aime la neige, mais ce pays ne se rappelle à moi que sous la neige et par elle...

30 novembre

C'est le calme plat rue des Vasques et je ne retournerai jamais en Angleterre. Je hante la bibliothèque. C'est dans *son* fauteuil, en fouillant *ses* livres, en fumant *ses* pipes, en lisant *ses* papiers, que je reconstitue Jubald. Je passe des heures à imiter sa microscopique écriture, pages rouges de coccinelles pétrifiées ; pages vertes de sauterelles et de criquets désarticulés ; pages noires, fourmilières en pleine dévastation, qu'un cataclysme de laboratoire a fait éclater dans une singulière géométrie. L'amour de Jubald et de Hildegarde me tue lentement, et personne ne se doute de ma mort. Je n'ai encore montré *Deep Magic* à personne, l'occasion ne se présente pas. On se passe de moi pour obtenir des nouvelles de Londres, Geoffroy écrit presque tous les jours. Les derniers ragots de Buckingham, les épisodes diplomatiques, les grèves des ports et des charbonnages, ils en ont la primeur. Ils en savent plus long que moi sur William Smith, inutile de forcer mon mutisme, de détourner mes feintes. Je voudrais tordre le cou de Geoffroy, le bâillonner, lui attacher les mains ! Pourtant je passe des heures à n'en rien faire, les yeux clos, allongée sur mon lit, ou lovée dans un fauteuil.

Jubald n'est plus en vacances, il est redevenu invisible. L'ennui s'étend à perte de vue, mais je suis seule à le percevoir, à le toucher, à étouffer dedans. Hildegarde me propose une foule d'activités que je repousse du doigt. Je ne veux pas interrompre cette méditation qui me paralyse, qui ouvre en moi d'incroyables prolongements, qui me change en statue de la Liberté et en abominable femme des neiges. Je ressemble aussi à la femme de Loth pétrifiée dans le sel et à l'adorable Alice de Lewis Carroll, dont je n'ai jamais su si elle était trop grande ou trop petite pour le terrier de Jeannot Lapin. Même si je dispose de plus de temps qu'il n'en faut raisonnablement, je ne résoudrai pas aujourd'hui cette énigme, pas plus que le mystère des soucoupes volantes ; je ne déterminerai même pas ce qu'il est urgent de savoir. J'ai perdu confiance en moi. Je devrai choisir entre Œdipe et Éros.

Mais je ne choisirai rien. C'est-à-dire que j'attends l'Olympe au grand complet et de pied ferme ! Naître d'une côte d'Adam ou de la cuisse de Jupiter, Diane ou Desdémone, la belle affaire ! Les dieux et les hommes sont aveugles, heureusement qu'ils ne voient rien ! Je me prépare par une intense réflexion à venir au monde, rien de plus simple, Jubald, que l'avènement de l'amour. Mais je ne crois pas que l'amour soit fait pour les hommes (ni les femmes, bien entendu), que nos sens, nos organes, nos facultés, s'y retrouvent. Le mystère nous dégoûte — deep magic, black magic —, magie noire comme la réglisse et le même petit goût écœurant... Je crois que nous sommes faits pour compter des moutons et jongler avec les étoiles quand il n'y a pas d'autres moyens de dormir.

4 décembre

À Londres, on parle déjà de moi. Malgré les pressantes invitations de William Smith, les fallacieuses objurgations de Geoffroy, je n'y retournerai pas. Ce livre me brûle les doigts. Geoffroy m'envoie des coupures de journaux et des liasses de lettres en anglais. Enfin j'ai déposé sur la table de chevet de Jubald un exemplaire de *Deep Magic.* Il m'a envoyé en retour des fleurs, des félicitations et des compliments préparés par sa secrétaire. J'ai donné les fleurs à Olga et déchiré les souhaits en menus morceaux.

— Je ne comprends pas la poésie, surtout en anglais, mais tu es un grand poète, s'exclame ma mère attendrie.

— Qui donc te l'a dit?

— Malcolm Barrymore lit Edgar Poe et Fenimore Cooper, tu sais. Il aime beaucoup tes vers.

Elle et son bagage d'étudiante de high school! Pourquoi pas Dickens? Elle et son Malcolm Barrymore! Jubald Elliott a-t-il seulement feuilleté mon livre? A-t-il lu ma dédicace? Il me laisse poireauter dans son antichambre, il me fait mijoter dans l'impatience et l'énervement! Je fais plus pitié que le Petit Chose, que Cendrillon elle-même, que Pinocchio aux prises avec un nez sans fin!

J'ai fait chasser Satan l'été dernier et je le regrette. Je n'aurais pas dû inventer cette histoire de tentative de viol qui a horrifié Hildegarde.

Satan a eu l'ingénuité de me faire part de ses soupçons quant à mon sentiment pour Jubald. Je partagerais volontiers *Deep Magic* avec lui, mais pas mon lit, mais pas mon âme, quoiqu'il me manque aujourd'hui et son flair de chien de garde ! Anton Clift, son successeur, ne me fera pas chanter. Il ne m'a jamais vue baiser avec ferveur le veston fauve — le plus délirant — de Jubald Elliott !

6

Moscou, 8 janvier

Geoffroy n'approuve pas que je parte sans escorte, mais j'ai décidé d'affronter seule l'aventure. J'accomplirai sans lui le périple qui me mène dans les capitales où fleurissent en langues étrangères mes poèmes anglais. William Smith est débordé. Personne ne peut m'être d'aucun secours. On ne court pas après une âme perdue, la meute sur les talons, comme on chasse le renard.

Aujourd'hui, je deviens russe blanche à Moscou. Nicolas Borodine me reçoit à bras ouverts, les paupières mi-closes. Il est vieux et sa barbe poivrée l'investit de calme et de dignité.

— J'ai traduit tes poèmes dans ma langue parce qu'autrefois j'ai vécu semblable amour. Mais j'ai tué ma mère, Emmanuelle ; de mes mains, je l'ai étranglée et j'ai payé sa mort durant trente ans. J'en ai cinquante aujourd'hui et l'on m'en donne cent. Prends garde, Emmanuelle, prends garde.

Je regarde Nicolas Borodine qui est sorti de prison par miracle. Je le défie et je l'apaise pour qu'il me sourie, son sourire est exceptionnellement frais et beau. Il me prendra par la main. Il m'offrira sa ville, rue par rue, monument par monument. Il appuiera ses mains jointes sur son front. Il me parlera de sa mère plus belle que toutes les filles et toutes les femmes du village de Sverdlousk. Mon désir de Jubald roule dans mon ventre comme un tonnerre muet. Je me plains tout bas et je m'enivre de vodka, rasade après rasade. Bientôt je danse en gitane devant les feux d'une large cheminée de pierre. Et Nicolas Borodine rit aux larmes. Il applaudit à s'en rompre les os des mains. J'assassine sa mère douce trente fois et plus jusqu'à ce que sa tunique d'étrangère soit pleine de sang. Nicolas Borodine ne rira plus jamais en pensant à moi. Il lèvera les bras au ciel et demandera qu'il lui tombe sur la tête.

Prague, 3 février

Il est fier et obséquieux, Raoul Masaryk. Il écrit des grands romans fous furieux. C'est pour me mettre dans l'un d'eux qu'il a traduit mes poèmes. Il a mal aux dents et il m'accuse. Il se détourne de moi, il me pardonne. Il n'a pas le don de plaindre, il a celui d'effrayer qui est tellement plus efficace. Il aime le faste des loges de théâtre. Avec lui, je défile dans une ville secrète, bizarre, pleine de peuples costumés, maquillés, passés à feu et à sang, posés sur des tréteaux comme des oiseaux de fables. Il me lit les épisodes les plus barbares de son autobiographie et les paragraphes de son journal où il est question de mes poèmes, où il dissèque mon amour. Il me flatte et m'aiguillonne. Il façonne, à petits coups de crayon étroits, mon visage sur de larges cartons gris, et me lance les cartons à la tête quand les dessins ne sont pas réussis. Je le mords et le griffe pour échapper aux rites des canapés stratégiques qu'il a multipliés dans son atelier.

— Je suis vierge, Raoul Masaryk, ne me touchez pas!...

Il rit avec tant de colère que son visage s'embrase, que ses yeux s'exorbitent, que sa bouche se pâme et suffoque quand l'air s'y engouffre. Pour me punir, il m'impose sept réunions mondaines en sept jours et consigne mes vices dans son journal: un jour donc, tout Prague se gaussera de moi. Tout Prague, un jour, couchera dans mon lit, s'il en a envie.

Oslo, 20 mars

C'est une petite fille pâle et faible, Hélène de Valdemar. Elle étudie les lettres à l'université. Elle répète sans cesse: « Vos poèmes... ah!

vos poèmes. » Elle ne se confie pas plus qu'elle ne se pavane. Elle s'exclame, elle s'extasie platement comme si elle s'excusait de partager mes désirs, ma fièvre et ma folie, ma fête défendue. Elle m'emmène à l'université et des nuées de jeunes filles coassent autour de moi, grappillent mes paroles, chahutent mes poèmes devenus norvégiens par la volonté d'Hélène de Valdemar. Je n'irai pas chez elle, ou plutôt j'y vais.

Je n'aurais pas dû l'accompagner. Je sais maintenant d'où vient son génie, sa connaissance tactile du mot et de sa place dans la géographie d'un poème: son père. Si je n'étais déjà la fille de Jubald, je voudrais être l'Ève de cet homme intolérablement beau et vivre avec lui du premier au dernier de mes jours. Il me rappelle qu'un Dieu doit exister! Il n'y avait que Jubald pour lire mes poèmes sans les comprendre, pour ignorer, réfléchi par l'extrême lumière des mots, mon amour invulnérable. Maintenant ils sont deux: le père d'Hélène n'a rien deviné non plus du sentiment de sa fille; il ne sait pas pourquoi elle s'est donné la peine de traduire mes vers et de lui en faire cadeau.

Copenhague, 30 mars

J'ai presque manqué mon rendez-vous de Copenhague. J'ai failli ne pas voir Gustave Anderson, si jeune et si droit dans son complet charbon. Il habite seul dans une noix de grenoble. Il n'est pas satisfait de son travail : il me tyrannise, pose et reprend mille questions précises, scientifiques. Il démonte chaque poème avec la patience et la minutie d'un horloger. Un instant, j'ai vu mon pouls le plus intime battre sous la peau de mes poignets qu'il s'apprêtait à ouvrir et j'ai été prise de panique. Je me suis roulée en boule et j'ai fait silence tandis que mon bourreau se frottait les mains de satisfaction. Mon âme damnée danoise aura complet gris et gants de luxe, et un extraordinaire petit triangle sans chaleur en guise de visage. Je ne sais pourquoi je monte à cheval derrière lui sur sa moto jaune et nous partons en fous dans le labyrinthe de son pays. Il crie mes poèmes dans le vent, parfois dans sa langue, surtout dans la mienne et dans la langue de William Smith, éditeur.

Les télégrammes, les lettres et les appels téléphoniques de Geoffroy et de William Smith ponctuent ma tournée solitaire, me secouent le matin, m'entortillent le soir dans une sorte de cocon. Gustave pince la bouche mais il regrette que je le quitte si tôt pour courir à Malmô. Je n'ai rien reçu de Jubald encore depuis trois mois. Au premier mot de lui, je rentre !

Malmô, 17 avril

Qui m'aurait dit que Charlotte Vasa vivait dans ce minuscule monastère abandonné et se consacrait à la facture de vitraux ? Elle est vêtue de bure sombre et garde silence toute la journée. La nuit, elle allume un feu de cheminée, enfouit sa chevelure dans le capuchon de son burnous, et se livre à des confidences d'une déchirante austérité. Je l'écoute et je divague à côté d'elle. Elle se donne avec une largesse et une continuité qui m'émeuvent : je lis son journal, la somme de sa vie faite à partir des faits aigus de son enfance à sa maturité : crises, fugues, illuminations, explosions. Sous son masque de beauté calme, la terre tremble, les volcans explosent, les éléments chavirent. Je suis sûre qu'elle m'écoute dormir si je m'assoupis, qu'elle m'entend hurler au fin fond de mon silence et de mon ennui. Peu à peu, mes poèmes ont pris forme de vitrail et sont sortis, éblouissants, de ce tamis de lumière. Une espèce de bonheur me transperce sans me blesser. Le choc de la beauté est une torture, je ne pourrais le supporter longtemps ni à répétition.

— Reste avec moi, Emmanuelle, tu ne vas nulle part.

— Non, Charlotte, non. Je dois rentrer à la maison.

Charlotte cesse de parler. Je m'effondre à ses pieds. Je glisse sous l'ombre de l'exil.

Salzbourg, 20 avril

Je sais désormais que la neige est blanche, le sang rouge, et les yeux de Léopold bleus. Bleu pensée fraîche. Il boit la colline à mesure qu'il la dévale, goulûment, insatiablement. Derrière lui, je recueille, bouche ouverte, les miettes qu'il laisse tomber de sa course pour les chiens.

— Je ne te montrerai pas l'Autriche, Emmanuelle, rien que la neige !

Il me noie dans la neige, me nourrit et m'abreuve de neige. Il me fait neige, m'édifie château fort de givre et de gel. Il m'assassine avec sa neige réelle et artificielle. Son regard me métamorphose et purifie mon sang par une joyeuse et scintillante saignée. Sous sa plume, mes poèmes portent glaçons, s'émaillent de givre fin, éclatent dans les fenêtres en arborisations magiques.

— Pourquoi as-tu traduit mes poèmes, Léopold de Babenberg ?

— Tu es le sujet de ma thèse de psychologie.

Il me défie de ses prunelles bleues, de ce sourire d'une bienheureuse blancheur qu'il n'a cessé de répandre sur moi. Je lui crie :

— Tu es un monstre, tu es l'abominable gorille des neiges !

Et je m'élance sur la piste. Cette fois, c'est lui qui se contente des miettes derrière moi. J'avalerai toute la montagne sans rien lui en laisser.

— Tu as envie de moi, avoue, avoue !
— Va te faire pendre !
— Tu as peur que je t'arrache le cœur, que je te le remplace, ton cœur pourri !
— Tais-toi, Mozart de pacotille, va te faire congeler ailleurs !
Si je ne prends pas un amant en Autriche, ce n'est la faute de Léopold de Babenberg.
J'ai reçu sept mots de la main de Jubald : « Tu as oublié l'anniversaire de ta mère. »

Hambourg, 30 avril

Aurai-je le courage de terminer mon périple ? La terre ne cesse de s'agrandir, d'augmenter et de confondre les distances, pour tout dire, elle continue de tourner, de faire du vent, de la neige, du sable et des feuilles. Elle est totalement et continuellement occupée, alors que je voudrais arrêter le mouvement perpétuel, les marées, les horloges, le roulement mécanique des foules et de toutes les espèces d'engins qui sillonnent la terre, la mer et le ciel. Cette fois je pars pour échapper à Léopold, et qui fuirai-je encore ? Cette fièvre me fait traverser Berlin et Hambourg en coup de vent. Je me trouble lorsque mon image télescope un miroir : je suis une marionnette manœuvrée avec bienveillance par William Smith qui me veut célèbre et ne détesterait pas m'inspirer quelque reconnaissance, à défaut de sympathie. Je ne réponds pas à ses télégrammes, mais j'obéis. Je respecte mon itinéraire. Je me laisse dévorer par les faiseurs d'images et les machines à parler. Je ne dédaigne pas d'être contrariée, bousculée et flairée par les amateurs universels de cinéma et de littérature. Ils n'ont pas encore inventé la machine à bouffer l'ennui et c'est celle-là qu'il me faut cependant. Vive le bricolage!

Bismark est un long monsieur sec, un fonctionnaire méticuleux et solennel. Pour l'éprouver, je le traîne au cirque, au music-hall, où je harcèle systématiquement sa dignité. Il sera à bout de force quand je partirai. Les beuveries par contre le transforment en vieux rat hébété qui pleure dans son chapeau. Il boit désespérément vite et mal parce qu'il a hâte de baigner dans ses larmes, de s'y engluer. Il aime leur clapotis, leur frémissement dans les poils de ses paupières et de ses moustaches, leur chuintement pathétique dans les mouchoirs de papier qu'il se passe sous le nez. J'en ai assez de lui verser de la bière blonde ou brune. La fin du monde est proche et je ne veux pas mourir à Hambourg. J'ai mes raisons, Bismark, j'ai mes soucis. Je boucle mes valises et je serai au diable avant que vous n'ayez quitté la brasserie. Le diable me fera traverser le continent sur quatre petits chevals verts!

Tombouctou, du 28 juin au 7 juillet

Commençons par la fin puisque je rentre. Il se peut que ces gens qui gesticulent autour de moi m'entourent cordialement. Ils ont mis des bouquets sur mes bras, et nous sommes le sept juillet. Ce qui me console, c'est que je ne comprends pas un traître mot de leurs discours. Ils ont mis leur cœur sur ma main et je l'ai avalé par distraction, par étourderie, j'en ai l'estomac retourné et cela me préoccupe. Quelqu'un m'aide à franchir la passerelle, à m'installer à côté du hublot où je vois encore leurs figures rieuses et enfantines. J'ai été très malade et on m'a soignée avec amitié et circonspection.

Maintenant on me renvoie, restaurée, bichonnée, réconfortée, avec des fleurs et des petits cadeaux. On se renvoie la balle d'un bout du monde à l'autre. Je suis roulée en boule dans mon espace intérieur. Quelqu'un examine la mappemonde et pose son index çà et là, d'un air dubitatif, sur des points jaunes ou mauves, pour me prouver que nous allons quelque part.

Grand-mère Blanche faisait souvent ce geste-là, quand elle me racontait d'anciens et chimériques voyages, et remontait en pleurant au temps où j'avais un grand-père et où je n'existais pas. Jubald aussi, quand nous courions aux trousses de la licorne ou que les Chevaliers de la Table ronde, Galaad, Lancelot et Perceval menaient la chasse au Saint-Graal. Ce n'était pas l'exil alors et nous partions sur des montures capables d'anéantir tous les obstacles, d'ouvrir en deux gigantesques pans l'océan ou la montagne! Est-ce ma faute si mon amour est un héros sans peur et sans reproche, un surhomme aux mains de velours?

Je sortirai de cet appareil pour m'asseoir sur le char de feu qui emporte Élie vers le néant. Je refuserai de débarquer ailleurs! Œil pour œil, dent pour dent, télégramme pour télégramme! J'ai reçu: «Tu pars pour Beyrouth.» J'ai répondu: «Désolée. Beyrouth rasée par les flammes.» Pourquoi pas? Tout peut arriver: le scandale, le péril jaune, la conquête de l'espace, la mort du président Kennedy, et j'en passe. William Smith mourra d'indignation et d'ingratitude, mais la disparition éventuelle de William Smith est ce qui me préoccupe le moins. Elle est ce qui ne m'a jamais asticotée et ne me tourmentera pas. Je rentre, escortée par quatre mots de Jubald: «Suis fier de toi.» Chez moi, le soleil a commencé son été fabuleux, ressuscité les morts et fait marcher les grabataires. Nulle part ailleurs je n'ai vu de soleil comparable à celui-là, ni de ciel violet traversé par de gracieuses hirondelles noires. C'est à des signes comme ceux-là qu'on reconnaît son pays, non? Et moi, j'ai grand besoin d'en posséder un sur la carte de ce monde, ni trop grand ni trop petit, à la démesure de mes saisons.

9 juillet

Ce n'est pas Jubald qui m'attend à l'aérogare. Ce n'est pas Hildegarde non plus. J'ai cru que personne n'était venu à ma rencontre. J'ai cru que personne ne viendrait plus jamais m'accueillir. Bras tendus, visage bronzé et noblement repu, en short et en espadrilles, moitié dieu, moitié cheval, Geoffroy est là. Geoffroy m'a précédée. Je me retiens pour ne pas mourir, instantanément, de dépit.

7

Je me souviens d'avoir fait le tour du monde et que la terre a tremblé trois ou quatre fois. Chaque fois, j'ai émergé d'une extrême lassitude et d'une confuse nostalgie pour me retrouver au milieu des fleurs et des cadeaux de Geoffroy qui parlait de m'épouser. C'est édifiant, non? Cette solitude extravagante me plairait assez si je ne sentais le ciel prêt à emboutir le baldaquin de mon lit. Je remplis des carnets minces et longs d'une petite écriture noire que je ne relis pas. Je perds heureusement la notion du temps qui, à mon avis, est parfaitement oiseuse. Quand je serai une très vieille dame, je reviendrai sur le sujet, avec de l'expérience cette fois.

24 octobre

Je vois rouge, je vois clair. Il ne se passe pas une journée sans que je sombre dans le désespoir et en remonte après une immersion dont la cause m'échappe. Je ne vois presque pas mon père et ma mère: il m'arrive de les chercher d'une pièce à l'autre pendant des heures avant de me rappeler qu'ils sont rentrés en ville en me laissant l'usage exclusif des *Sangsues.* Je suis en retard sur le mouvement pourtant très lent de ces journées de paresse et d'une excitation paradoxale où je ne cesse de me contredire. Pourtant Jubald me traite comme sa fille bien-aimée et doucement encombrante, tandis que Hildegarde me met à la diète — pas pour maigrir, je suis un échalas! — et que Geoffroy me supplie d'écrire un autre *Deep Magic.* Mais je n'écrirai et ne publierai aucun autre livre: je ne suis pas un écrivain et cet amour de papier et d'encre d'imprimerie a assez duré! Si je prends la décision qui s'impose, il ne restera pas une pierre de cette maison, pas une parcelle de chair sur mon obséquieux squelette.

Ma mère m'a laissé Aïda, mais je les connais toutes les deux, elles ne peuvent être séparées bien longtemps. De mon côté, j'ai refusé de recevoir William Smith et de croire qu'il était venu de Londres uniquement par souci de ma gloire et d'une présumée carrière. Cette histoire d'écriture commence à m'irriter singulièrement les nerfs! Je ne veux pas plus d'un éditeur que d'une servante noire, mais je pourrais bien ajouter à mon personnel un videur d'expérience! C'est le genre de personne qui ne demande pas d'explications pour obéir aux ordres et rétablir le silence. J'y pense très sérieusement.

Mon île a l'automne aimable et l'idée de peindre ici me démange soudain les doigts. Je rêve d'un grand et mystérieux tableau où Jubald lira mon amour comme autrefois dans mes yeux d'enfant. Tout ce dont j'ai besoin, c'est d'une patience à toute épreuve : il en faut tellement avec les enfants.

26 octobre

Je dissimule mon tableau chaque fois que Geoffroy vient me voir. Je m'affuble des nippes du jardinier et nous allons pêcher le carpeau à l'ombre des saules. Je l'oblige à goûter les champignons que je découvre et il n'ose pas refuser de s'empoisonner, de peur de me contrarier. Nous complétons les recherches à propos de notre flore exclusive, de gros albums soigneusement montés puisqu'il sait tout faire, les herbiers comme le reste. Après nous allumons un grand feu dans la cheminée et Geoffroy se tait parce qu'il devine que je ne suis pas en air de l'écouter parler d'avenir. Je préfère rêvasser tandis qu'Aïda se berce en chantant à voix basse des blues qui me dépaysent et me donnent envie de mourir (mais pas avant d'avoir achevé mon tableau toutefois).

30 octobre

Je n'aime plus du tout la rue des Vasques, je m'y sens inutilement traquée par des souvenirs qui ne sont pas à moi et qui m'assiègent à cause de la grande disponibilité de ma propre mémoire. Je ne saisis pas clairement le projet qui déplace dans mon cerveau des masses de pensées toutes plus sournoises les unes que les autres. Jubald travaille comme un commis. Son zèle n'inquiète pas Hildegarde mais elle a tort. Il fume trop et les cernes se sont agrandis sous ses yeux. Je suis la seule à le regarder comme je le fais, mais ce n'est pas une excuse pour ceux qui ne veulent pas voir. Les pires aveugles ont des yeux pour dormir; pour le reste, ils se fient aux voyants et aux voyeurs. À force d'observation et d'ingéniosité, l'image de Jubald acquiert pour moi une précision et une luminosité incomparables. Je dirais qu'il est à peindre si j'avais envie de le voir en peinture. Il me semble merveilleusement las et vulnérable quand il compulse des documents sous la lampe, et quand il s'habille en noir et blanc pour une soirée à l'opéra ou au concert. Il ne me demande pas de l'accompagner, il ne me demande rien. Il ne critique même plus mon inertie et le gaspillage de talents dont m'accuse fraternellement Geoffroy. La consigne du silence et de la tolérance règne; à trois contre une, ils ont évidemment raison.

6 novembre

J'ai retrouvé peu à peu le goût du monde, du spectacle insipide et bruyant qu'il offre aux désœuvrés de mon espèce. Je m'habille moi aussi en noir et blanc pour accompagner Jubald au théâtre, Geoffroy inévitablement, parfois Malcolm Barrymore, un des proches collaborateurs (ou associés) de mon père. Je n'entends pas un traître mot de ce qui se déclame ou se chuchote sur la scène, à cause du bruissement métallique de mes propres pensées, mais je régurgite dans cette atmosphère artificielle ce que ma solitude contient d'amertume et de rancœur. C'est d'ailleurs le seul endroit où Geo me fait réellement et profondément pitié, où je parviens à lui sourire sans montrer les dents. Si je persévère, il va bien entendu reprendre espoir de m'apprivoiser un jour. Je n'ai pas dit qu'il n'y parviendrait pas, je ne peux que le plaindre, les bêtes sauvages ne valent rien sans leurs crocs et leurs griffes et leur humeur belliqueuse. Si je persévère donc, l'air redevient respirable autour de moi, c'est-à-dire chargé de volupté, de tolérance et de bonne volonté. Dommage que Geo ait envie de se marier, avec moi par-dessus le marché. Ensemble nous aurions pu faire les quatre cents coups, la tournée des grands-ducs pour Halloween, traverser le désert du Nevada à pied, mais nous ne formerons jamais un couple puisque j'appartiens à un autre homme. N'en parlons plus, mais quel dommage ! Il existe peu de ces compagnons universels, capables de toutes les performances physiques et intellectuelles, et celui-ci va se gâter comme une vieille patate, comme un pou, comme la sauce ! Si je persévère, enfin, je vais me retrouver officiellement pendue au bras d'un époux qui frise la perfection, le cœur enragé d'amour pour un autre, certainement moins admirable que maintenant. C'est un pensez-y bien et j'y pense, tout en feignant la fainéantise la plus sophistiquée, le détachement le plus inusité dans ce genre de situation. Je sais que tout éclatera un jour, que l'univers comprimé entre mes côtes poursuit son expansion aveugle. Quand on vit à l'abri d'un volcan il faut apprendre le langage du feu.

7 novembre

— Veux-tu toujours m'épouser, Geo ?

— Si je le veux ! Youp ! la ! la ! Tout de suite, si le cœur t'en dit !

Il me fait tourner au bout de ses longs bras, m'embobine et me débobine à un rythme qui fait de moi une gerbe d'étincelles, une toupie, une bielle-manivelle sans autre vocation que le mouvement perpétuel. Je ne le croyais pas doué pour la prestidigitation, mais il m'a littéralement fait disparaître dans les airs. Puis, tout à coup, il me tient dans ses bras, la figure si douce et tranquille que j'ai envie de pleurer.

— Promets-moi d'être heureuse.

Les promesses sont ce qu'elles sont et je n'en fais jamais sans précautions. Juré, craché, main sur le cœur, je serai heureuse avant la fin de mes jours. Il est temps en tout cas que cette maison s'anime, que de grandes ailes s'ouvrent dans ses murs. Geo est rusé — ou il est clairvoyant — il ne me demande pas de le rendre heureux, lui. J'imagine qu'il a une idée de cet art, qu'il n'attend de moi que cette mystérieuse et fragile connivence d'oiseaux qui nous lie et nous délie à volonté. Il veut que je vole, il veut que je brille, je pourrais être la minuscule bergeronnette recueillie par ses vastes mains douces l'été dernier. Je pourrais être le moineau gelé dans l'une des vasques du grand escalier extérieur — et qu'il a réchauffé et rendu à sa petite vie ébouriffée. Je dois l'avouer, Geoffroy pose continuellement des actes émouvants et gratuits, comme s'il n'était pas encore un homme corrompu, comme s'il était incorruptible effectivement, et que je n'avais rien à craindre de lui. Je n'ai pas peur de Geoffroy mais son insouciance me fend le cœur, il se réveillera en charpie un de ces jours.

12 novembre

L'imminence d'un dénouement précipite tous les personnages dans une euphorie redoutable. Hildegarde n'a pas traîné: en quelques heures, elle avait organisé une soirée de fiançailles tout ce qu'il y a de plus traditionnel, de plus éblouissant et futile. Je réponds à son appel uniquement parce que l'événement a fait sortir Jubald de son trou. Il redevient mon père, le chevalier à la licorne qu'une odyssée fabuleuse ramène à ses origines. À nouveau il ébranle les murs et rétablit les forces du silence dans leur merveilleuse intégrité. Ce dont j'ai le plus besoin, le silence, oui! C'est dans ce velours et cette soie que baignait autrefois mon amour et je le retrouve intact, l'exacte tentation, le supplice cohérent de l'attente, je me retrouve toute, la lumière promise — ô deep magic! — la confiance absolue.

J'accepte tout; la fête extérieure, Geoffroy célébrant nos accordailles avec sa franchise habituelle, mais surtout l'extrême jubilation de mon être ayant recouvré sa raison de vivre: Jubald présent au cœur même de son absence! Sans doute n'ai-je vécu que pour la minute de vérité qui se prépare, encore obscure et sans précision, dans des limbes d'attente ressemblant assez aux antichambres des rafistoleurs d'âme et de cerveau. Qu'importe! Puisque je danse au bras de l'amour, qu'importe si je marche sur le corps sacrifié de Geoffroy! Aïe! il s'est mis en travers de Jupiter lui-même, il montre le poing à l'Olympe prête à défendre son empire multimillénaire. Aïe! pardon, Geoffroy, tu ne me croirais pas si je te disais la vérité, tu croirais que je me paie ta tête et tes couilles. Geoffroy se remettra vite sur ses pieds. Pardonne-moi, vieux frère, ce que tu n'as pas compris ! Geoffroy a la force de Gibraltar et ne se laissera pas abattre. Éloigne-toi, camarade, je contamine, je laisse des traces indélébiles comme le péché originel ! Il n'a qu'une vie à vivre et moi j'en ai au moins neuf comme les *felis silvestris* qui sont pratiquement immortels. Il n'y aura jamais assez d'ombre pour que ma proie y trouve refuge, jamais assez de soleil pour m'aveugler. La maison s'est mise à danser elle aussi, emportée par un tourbillon de musique et de jeunesse traquée dans les coins. J'ai dit que l'euphorie gagnait tout le monde, mais il y a sûrement des feintes et des masques sur certains visages, sur le mien par exemple. Promets d'être heureuse, Emmanuelle, engage-toi ! Quand on s'embarque pour le bonheur, j'imagine qu'il faut apprendre à jouer la comédie, autrement l'objectif vous glisse du cœur.

— Comme Emmanuelle est belle, ce soir ! Quelle gaieté ! Quelle vitalité ! Qui aurait dit qu'elle aimait autant Geoffroy ?

À la place de Hildegarde, je ne le dirais pas, je m'arrangerais pour laisser les sentiments et les promesses des autres tranquilles. Geo possède le plus sympathique menton de la famille et peut l'appuyer sur le dessus de ma tête quand nous dansons ensemble.

2 décembre

Jubald me recevra. Je quémanderai, de bureau en bureau, une entrevue, un rendez-vous. Je veux discuter avec lui de mon mariage à Geoffroy. Il y a des choses qu'on ne peut avouer à son père que dans l'intimité et sans aucun témoin. Jubald ne s'en tirera pas à si bon compte. Il ne me donnera pas à qui que ce soit sans savoir ce qu'il fait. Je ne suis pas un cadeau ni une bonne affaire, moi, je ne suis pas un placement ni un boni. J'ai songé toute la journée à me tirer une balle dans la tête mais la vue du sang, pour une femme, est ignoble et vaguement écœurante. Depuis douze ans que je le verse pour rien, impossible de lui reconnaître une signification particulière. Donc, pas d'effusion de sang ! Pas de drame alors que je me sens prodigieusement vivante et désirante. Mais à qui parler sinon au seul être avec qui le dialogue et la parole soient possibles et certainement utiles ? Que de temps perdu, Jubald, à louvoyer difficultueusement entre l'arbre et l'écorce. Je ne suis pas l'héroïne d'un roman, mais une pauvre créature à qui on vient d'arracher la promesse affolante du bonheur. Je ne peux pas être heureuse sans toi, Jubald. Je ne peux que m'allonger au sol, les mains sous la nuque et les yeux au plafond, pour attendre la fin de ce monde sans bon sens, une fuite ou une erreur qui fasse tout exploser et permette de recommencer à zéro. Si je veux tenir ma promesse au contraire, je monte sur mes grands chevaux et planifie la plus incroyable équipée jamais imaginée depuis l'invention de l'Éden et les folies de ma mère Ève. Avant de procéder, je relirai toutefois le *Pentateuque* du premier au dernier livre car je manque d'information sur l'art de commencer le monde, sur les trucs du métier de créateur du ciel et de la terre.

8

Pourquoi êtes-vous mort, mon bel amour, mon unique soleil? N'auriez-vous pas pu comme moi surmonter l'espérance et dériver de gouffre en gouffre, solennel et le cœur en désarroi, la tête en bas, vos pieds monstrueux balancés au rythme d'un pendule en alerte? Sous ce rêve subitement tombé en désuétude, j'avance à petits pas prudents. Je vous aurais guidé comme la lumière extrême des ténèbres et nous aurions «changé la vie» comme le proposait ce poète que vous respectiez pour me faire plaisir! Vous vous êtes arrêté en chemin. Quelle ignorance, Jubald, quel fallacieux désespoir! Vous m'avez repoussée au nom de ce convoi anonyme et sans histoire qui vous suit pas à pas, de peur que vous ne lui échappiez encore une fois.

Vous avez cru éviter le piège! Voyez donc où nous en sommes maintenant vous et moi, séparés par une forêt de corps ignorants! Je porte haut la tête mais ils ne valent pas un sou d'orgueil et je veux qu'on le sache. La mort ne m'impressionne pas, elle ne dérange pas mes plans: elle a scellé notre unique nuit d'amour et démontré l'inutilité de la répétition des mêmes actes et des mêmes hypocrisies. Je ne reprends pas ce que j'ai donné, moi ! Je ne recommence pas à zéro à tout bout de champ, moi ! Assez parlé de moi, cependant, assez parlé au passé.

Il faudra bien que quelqu'un empêche cette foule insouciante de laisser Jubald pour mort avant la fin de cette journée. N'était-il pas extraordinairement vivant, ne rayonnait-il pas d'une grande évidence pour ceux-là mêmes qui forment cette escorte ? Ils te laissent tomber, Jubald ! Ils en ont fini avec toi, c'est le sauve-qui-peut, c'est la débandade ! On n'a toujours que ce qu'on mérite, n'est-ce pas ? Ils ont mérité de courir jusqu'à ce que mort s'ensuive et ce n'est pas moi qui empêcherai l'holocauste. Pourquoi me joindre à des gens qui ne connaissent rien de toi, à ces hommes brièvement émus, à ces femmes enchagrinées qui reniflent dans des petits mouchoirs blancs ! Je n'ai pas assez de souvenirs pour m'émouvoir des larmes de Hildegarde, pas assez de compassion pour la prendre dans mes bras. J'ai cessé de courir après le vent et je n'ai pas l'ambition de me pavaner avec la grâce d'une veuve tragique, au milieu d'un cortège sophistiqué. Je tiens à mon anonymat, moi, je me fais oublier. Par prudence, je garde mes yeux presque clos, je disparais dans mon carcan de vison noir, je marche à pas de souris. J'ai très bien reconnu Gertrude tout à l'heure, mais je feindrai de ne pas savoir que cette jeune femme rondelette a donné sa sœur pour moi, un certain été. La boucle est bouclée, elle n'obtiendra pas une grimace de moi.

Tu n'as plus que moi, Jubald, pour continuer l'étrange périple; toutes les femmes sont infidèles et elles ont raison. La terre appartient aux rats et aux chenilles chaque printemps; pourtant quelle lutte pour la leur arracher! C'est vraisemblablement par dérision que la Bible prévoit que nous redeviendrons cendre et poussière. À moins d'un changement radical de nos mœurs funéraires, c'est de la pâtée pour les vers et les rats que nous devenons, c'est du chewing-gum pour les lombricidés!

Certains hommes ne sont visibles que le matin, à l'heure du petit déjeuner. À heures fixes, Jubald débouchait des hauteurs dans le vaste escalier qui coupe l'étage en deux. Mais je le précédais pour prendre ce repas avec lui au nez d'Olga qui s'en offusquait régulièrement. Je n'ai jamais vu une femme défendre aussi âprement son droit à la servitude! Sa résistance ne servait à rien: c'était moi qui ouvrais les œufs et les pochais, qui préparais le café amer auquel j'ai fini par prendre goût. Je croyais ainsi effacer la nuit achevée, brouiller l'image de Hildegarde paresseusement lovée dans leur lit, juguler son sex-appeal! Pour fabriquer des illusions, je n'avais pas ma pareille. Parfois je lui arrachais un sourire moins conventionnel que les autres, une parole plus mémorable. Parfois il renvoyait lui-même Olga et nous restions en tête-à-tête, béats et constipés, lui par des soucis inexprimables, moi par la congestion de tout mon être.

N'importe quel enfer m'était supportable pourvu que je boive dans son verre et mange dans sa main !

Je n'ai pas compté dans sa vie et ne suis pas parvenue à comprendre pourquoi. Je ne devinais pas qu'il était en train de vieillir, qu'il ratatinait et radotait déjà, bref qu'un homme de quarante ans commence à dégringoler des souvenirs d'enfance et que la situation est sans remède. J'étais piquée au vif parce que je ne réussissais pas à le magnétiser, à stopper l'éboulis des forces prodigieuses dont je l'avais investi. Quand un hominidé ne tolère pas d'être en retard, de renoncer à aucun des rites maniaques qui précèdent ses départs, la sagesse est de laisser tomber. Mais comment abandonner Jubald à sa hâte et sa fébrilité d'homme d'affaires ? Comment renier dix années de promiscuité charmante, d'attention et de présence ? Moi aussi j'avais remisé les licornes et le Saint-Graal, mais pas le mouton unicorne du Népal tout de même, mais pas la voie lactée ! On est tous remplaçables, non, même si on s'appelle Theodor Wilheim Amadeus Hoffmann ou Lewis Carroll ? Ce n'est pas un panache de plus ou de moins qui y changera quelque chose !

Le pire était de me retrouver ensuite dans les jambes de Hildegarde et de sa clique ancillaire. Ces ronronnantes personnes au sexe enfoui sous des jupes strictes distribuent des ordres et des courbettes à un rythme infernal. Je hais les servantes, elles me font désespérer de toute amélioration possible de la race humaine. Inutile d'enfoncer des portes à coups de poing si c'est pour uniquement me faire servir à boire et à manger et faire laver mes draps ! Si c'est pour courir les magasins ou jouer au bridge avec des gens qu'on connaît depuis si longtemps qu'il faudra les jeter après usage. Les amies de ma mère sont si usées qu'elles discutent sans arrêt de cosmétiques et des dictats de la mode : une fois cachées derrière les fards et les falbalas, elles ont une certaine allure. Mais Olga reste la plus remarquable avec son petit tablier et sa minuscule coiffe blanche ! Elle parle moins que cette bande de perroquets femelles en tout cas et je la déteste cordialement. C'est toujours ça !

Jubald avait le don d'ubiquité et d'invisibilité. C'est facile de se changer en tourbillon quand on passe de la Bourse au bureau et aux écuries, de l'aéroport au ministère ou à la maison, et qu'on recommence dès qu'un tour est achevé. Mais je ne peux m'empêcher d'être frustrée et de le montrer à Geoffroy qui en reste baba :

— Comment ! tu n'avais pas envie de visiter l'usine !

Il est surpris mais pas exagérément. Les femmes sont des girouettes, c'est bien connu, elles changent d'idée comme de chemise et la vue d'un enfer mécanique ne leur a jamais causé d'éblouissement ! Geo me prend sous le coude et nous glissons vers l'extérieur comme si j'étais venue là exprès pour le rencontrer et si nous avions plein de projets pour le reste de la journée. Heureusement que j'éprouve une migraine parfaite, une céphalée de grande classe qui me rend pratiquement imperméable à sa bonté!

Plus le temps passe, plus je consacre de temps et d'énergie à la filature de Jubald. On croira ce qu'on voudra, que j'en ai à son portefeuille, que je perds les pédales, peu importe! *Pourquoi êtes-vous absent, mon bel amour, mon unique soleil?* Je tourne en rond dans mon ventre comme un fœtus nourri à l'arsenic qui n'arrête pas de mourir.

— Veux-tu que je te raccompagne à la maison?

— Non merci, Geo.

Il me semble que nous parlerons ainsi pendant les siècles des siècles (et cela m'assomme), que nous serons ajoutés, par chacun de ces mots, à l'énorme, à la futile rumeur qui fait le tour de la terre, à l'insignifiante exhalaison de ce souffle (et je m'effondre). Geoffroy reste impuissant à me tirer de réflexions que je ne lui communique point. Curieux que nous n'échangions que des banalités, alors que nous avons à peine abordé les grandes lignes de la ségrégation raciale par exemple. C'est d'une inconséquence! Les grands débats vont nous passer sous le nez et nous n'aurons rien vu!

J'ai recueilli au moins une vingtaine de numéros de téléphone où rejoindre Jubald et je jongle avec pendant des heures. Chacun aboutit à une petite voix haut perchée, efficace et mécanique qui diffuse une information monotone: absent! en meeting! au club où Mr. Elliott dîne avec un client! Au diable, à la noce, il est partout et nulle part, invisible, introuvable, effervescent...

— Tu n'es pas jalouse de ses secrétaires, Hildegarde?

— Ah! les pôvres, elles ne le voient jamais!

Qu'elle dise donc tout de suite qu'elle s'en balance de le partager avec le monde entier, qu'elle a d'autres chats à fouetter, que — grands dieux! — il a passé l'âge d'être épié par les trous de serrures! Elle ne dira rien, elle n'avouera pas qu'elle tremble pour trois secondes de retard, pour trente-neuf degrés de fièvre, pour un oui, pour un non. Elle se vante de l'oublier à n'importe quel moment du jour, mais elle le couve jalousement dès qu'il met le pied dans la maison.

Elle me traite exactement de la même façon, c'est-à-dire qu'elle s'attend à ce que mes journées soient occupées d'un bout à l'autre sans avoir besoin d'intervenir. Autrefois elle établissait mes horaires elle-même et je n'avais pas à me plaindre des temps morts qui surgissent maintenant à la moindre anicroche. Je lui reprochais son zèle et tout était dit. Les choses ont changé, non? Sans être ni menaçantes ni pires, elles changent. N'empêche que dans ses meilleurs élans, Hildegarde m'a offert un nécessaire complet d'aquarelliste, un piano à queue, une demi-douzaine d'appareils-photos, un microscope et même des aiguilles à tricoter. Ma chambre et mon studio ont été meublés par son intarissable compassion, par mon intarissable loisir. Quand on a tout pour être heureuse, il ne faut pas se leurrer, on ne vous permet pas de souffrir tranquillement, comme tout le monde, ni de vous reposer du bonheur. Ce qui perdra Hildegarde un jour, c'est probablement cette propension à respecter les critères humains au même titre que le code de la circulation. Ça peut éventuellement jouer de sales tours. De temps en temps, j'essaie d'éclairer sa lanterne, mais elle réagit comme une taupe ou une girafe ; elle se fourre la tête je ne sais comment dans le premier carré de sable venu et attend que la lumière passe. Évidemment, c'est la nuit qu'elle est à son meilleur !

Si Jubald n'était pas entre nous toutefois, je pourrais aimer ma mère. Elle a le charme douceâtre des pêches et des poires et d'un tas de petits animaux duveteux. Celui qui lui a fait croire qu'elle était née pour être heureuse ne lui a pas rendu un si grand service, mais il s'est rendu l'existence facile, il a mis toutes les chances de son côté. Je ne reproche à personne de savoir calculer : certaines mathématiques valent bien l'effet du hasard.

Geoffroy possède le sixième sens du mathématicien, la bosse des chiffres, un cerveau d'ordinateur. Je m'ennuyais tellement depuis la mort de Jubald que j'ai accueilli l'idée d'un mariage fixé par décision d'ordinateur. Au moins, nous irons à Rio et les feux de la mascarade nous inonderont d'une joie pétillante et brève qui ne risque pas d'abîmer mon deuil! *Pourquoi êtes-vous mort, mon bel amour, mon unique soleil?*

Pourquoi Rio, pourquoi survivre? Sois heureuse! m'ordonne Geo. J'ai touché le faîte du bonheur, j'y ai creusé ma niche. Geo n'aurait pas dû exiger cette promesse, elle me sépare déjà de lui. Nous irons ensemble à Rio, comme nous étions ensemble pour découvrir Hamlet ou Mélusine, Blanche-Neige et les sept nains. Il connaît déjà mes ancêtres et moi, les siens, car nous n'avons pas cessé d'être orphelins du même père et de la même mère. Nous irons ensemble à Rio et nous achèterons des fleurs pour égayer notre chambre d'hôtel. *Pourquoi êtes-vous mort et moi, vivante, ou pareille à celles qui le sont?* Jamais nous n'arriverons à percer ces apparences, mais nous nous promènerons à Rio, bras dessus bras dessous, comme à Londres autrefois ou dans notre île, notre sauvageonne des derniers étés.

Tout est fini malgré la mémoire. Ces quelques pages n'ont rien ressuscité. Il y avait une fois... Grand-mère Blanche commençait toutes les histoires avec cette formule que sa mère-grand lui avait apprise. Elle berçait ainsi une petite-fille qui s'endormait sur ses genoux, qui y mettait le temps dans l'espoir de voir apparaître le bon Dieu en personne. Je ne bercerai pas d'enfant sur mes genoux et ne vieillirai point. Comme je le regrette au fond, je soupçonne ma vie de me dérober tant de secrets! *Pourquoi êtes-vous mort, mon bel amour, mon unique soleil?*

28 janvier

Alex Holt me félicite de ma bonne mine, de ma bonne décision. Il s'apprête à fermer mon dossier, il se frotte les mains, ce n'est pas tous les jours qu'une malade guérit. Il fête volontiers avec le champagne que Hildegarde lui verse, il trinque avec Geo sans cérémonie, il tolère même que je les regarde faire, c'est dire à quel point il me fait confiance. Confiance, mon œil! Je me promets de lui faire ravaler ses statistiques, quand nous rentrerons de Rio.

C'est parti! Un vrai ciel bleu à l'infini, une jungle toute blanche de nuages, l'Amérique à nos pieds. Geoffroy se signe, par superstition, explique-t-il, il respire le contentement et la foi, une foi de charbonnier, celle qu'il aurait eue s'il n'avait accumulé autant de parchemins dans les universités. Il a la foi ronde et fonceuse d'un dolichocéphale en voie d'achèvement. Et moi j'ai le cerveau en dents de scie de la dernière des Mohicans.

Nous serons à Rio de Janeiro avant la nuit.
Je voudrais tellement mourir d'abord.

9

Geoffroy s'empare du vestibule avec un chapeau, des couvre-chaussures, un paletot d'astrakan et des gants de molleton à l'épreuve du froid, des gerçures et de l'inconfort. Brutus lui sourit d'un seul côté du visage et porte le deuil de l'autre. Ses deux bras servent à recueillir tout ce fourbi dont monsieur se dépouille avec le style homme d'affaires que pratiquait aussi Jubald, et qu'on affectionne tellement dans cette maison. Brutus est très grand, presque aussi grand que Geo, mais étroit comme un bâton de dynamite. Je n'avais jamais remarqué la façon d'entrer chez lui, pourtant remarquable, de mon mari. Il faut dire qu'un gouffre sépare les souvenirs que j'ai de lui de ceux que je ruminerai demain ou l'année prochaine si par hasard j'ai envie de rabâcher les diverses circonstances que nous traversons ensemble : les funérailles de mon père, mon voyage de noces, celui de Geo... Ensemble, c'est beaucoup dire ! J'observe les mouvements qu'il a pour sortir de l'encombrement de ses vêtements sans changer la perspective où s'élève sa noble (mais oui, je ne plaisante pas!) silhouette; il me renverse par tant de précision, il m'épate par tant d'efficacité alors que je patauge sur place, entre les bras mous d'Aïda. Elle se croit presque obligée d'expliquer:

— Je prends votre manteau, Madame Davis, le dîner est prêt!

Elle m'appelle madame, en roulant ses gros yeux blancs et en retenant son émotion du mieux qu'elle le peut. Madame! C'est donc vrai, elle a eu lieu cette cérémonie feutrée où Geo a orné ma main gauche d'un énorme diamant? Je serre les paupières et me pince le bras tandis qu'il m'entraîne affectueusement, conjugalement devrais-je dire, (mais je n'en ai pas le droit) vers la salle à manger. L'amour, cela le vide, lui, cela lui creuse des cavités accueillantes dans l'estomac. Il a raison certainement, d'ailleurs j'ai faim moi aussi et il serait indécent de toute façon de me jeter dans les bras de ma mère pour y pleurer tout mon saoul, puisque je ne suis absolument pas malheureuse ni exactement désespérée, mais quelque chose d'insaisissablement différent que ses consolations n'atteindraient même pas. Cette grande maison où je m'attendais contre tout espoir à retrouver Jubald mort ou vif m'apparaît inutilement vaste et vide puisque son fantôme lui-même a été évacué.

— Vous verrez, Emmanuelle vous a choisi une petite merveille à Rio, dit Geo d'une voix chaude et un peu forcée.

Hildegarde a répondu je ne sais quoi avec des trémolos dans la gorge: elle et Geo se sont toujours compris et mis à l'unisson d'une façon spontanée. Je dois admettre que leur intelligence mutuelle facilite des retrouvailles qui me décontenancent, qui me prennent au dépourvu comme si j'avais été lessivée à Rio, comme si j'avais perdu l'esprit et le sens des réalités. Me mettre à table, dans ces conditions, est au-dessus de mes forces sans l'aide de Geo et de ma mère.

Brutus achèvera le rangement des malles dans nos chambres avec Aïda. Olga, toujours aussi austère et obséquieuse, les cheveux tirés derrière les oreilles, s'incline devant nous. Elle ne toucherait personne pour tout l'or du monde. Ses mains, ses dents, son derrière sont sacrés! Elle se conduit, dans quelque lobe de son cerveau, en héroïne de roman russe et cela déteint sur le service pourtant terre à terre qu'elle assure ici, lui donne un lustre incroyable, une véritable autorité. Je me rends compte qu'elle ne trouble que moi, que je n'ai pas accepté il y a douze ans qu'elle s'appelât Olga et en tirât tels avantages sournois... Ah! qu'elle aille au diable maintenant, j'ai d'autres plaies à panser! Qu'elle s'évanouisse dans sa cuisine car je jure que si je deviens un jour la maîtresse de cette maison, elle en sortira la tête la première, même si elle était la dernière représentante de sa race!

En attendant, je réponds brièvement aux paroles de bienvenue qu'elle s'arrache une à une, dans une aridité profonde. Elle ne nous embêtera pas longtemps, ce n'est pas son genre. Entre Geoffroy et Hildegarde, je m'effondre peu à peu, je me laisse aller, je n'existe à toutes fins pratiques qu'en élément du décor, il n'y a rien derrière la forme matérielle où je me reconnais vaguement. Je me suis pour ainsi dire évacuée et c'est une sensation terriblement préoccupante. Hamlet le premier (?) l'a brutalement formulée : to be or not to be, c'est toujours la question ! Heureusement que je retrouve l'immunité dessous la table où se tord ma petite ombre personnelle roulée en boule sous mes pieds. Une menace diffuse court d'un bout à l'autre de la pièce, s'échappe de chaque geste moins surveillé que les autres, à l'envers des mots qui s'infiltrent comme des aiguilles dans mes tympans surmenés. Je ne sais pas à quel moment je serai directement agressée et me prépare au choc possible avec application. Rio ! Rio ! N'est-ce pas à Rio que j'ai connu ma première appréhension d'une vengeance possible ? Tant que je veillerai sur mon ombre, tant que je lui éviterai les secousses et les échos qui pourraient l'écrabouiller, j'échappe à la fureur de ma chair retournée contre elle-même et expiant la fin de Jubald, sa mort digne de l'ineptie des mauvais livres, de l'ineffable littérature noire !

Comme autrefois au lac des *Cygnes* je resterai debout sans défaillir. Jubald, l'oreille appliquée contre la poitrine d'Éléonore, ausculte son cadavre mollement déployé. Je reste debout, à la tête de la noyée, les pieds dans ses cheveux dégoulinants et mon cœur bat ses derniers coups avec componction, mon cœur sait ce qu'il fait et ne trébuche point. Mais pour Jubald, ce n'est pas moi qui meurs mais cette belle fille rousse qu'on a ramenée du lac les pieds devant, et devant laquelle les sauveteurs eux-mêmes ont reculé. Allez, Jubald ! ressaisis-toi ! Ce corps n'inspirera plus que terreur ou dégoût ! Tu n'as pas plus de cœur qu'une andouille, cesse de renifler et de lui râper les côtes comme si elle allait se contenter de la respiration artificielle pour vivre !

À Rio, c'était pire encore, mes muscles pétaient, mes os éclataient dans un infernal remous et j'étreignais plus d'absence encore. Ô la pauvre voix, fougueuse et pleine de meurtrissures, de Geoffroy ! Il perd son temps à me comprendre, il perd son ciel à méditer mon salut à tout prix. Et qu'adviendra-t-il de sa dignité s'il s'entête à me provoquer ?

— Emmanuelle, Emmanuelle, t'ai-je effrayée ?

L'inquiétude monte en buées noires aux yeux suppliants de Geoffroy. Comment lui dire que je n'ai jamais peur de rien, qu'il n'a pas commencé son existence dans mon univers, qu'il piétine inutilement de l'autre côté du mur, qu'il me casse les pieds avec sa patience et sa générosité ! Quelles paroles auraient assez de sens pour entamer sa conviction et son ardeur ? L'Avenida Rio Branco délire et sa clameur déchaîne une folie telle que la vue du sang ne trouble plus personne. Des vagues de chevaux fous furieux traversent la ville et font trembler la terre. Je me hisse sur l'un d'eux, l'enrage à coups d'éperons, participe au carnage, aux acclamations d'une foule qui déraille et s'entre-tue. Pourtant ce soir Geoffroy se penchera sur moi avec la crainte de m'avoir effrayée, il ouvrira son aile tutélaire pour me protéger du mal que je lui fais.

— Tu ne manges pas, Emmanuelle ? Le potage est délicieux.

Toujours cette voix attentive, insurmontable, de Geoffroy. Mon appétit n'a pas de mémoire sinon celle du feu des épices qui vous réveilleraient un mort. Hildegarde n'en a pas non plus, sinon elle se rappellerait nos veillées funèbres, Jubald figé devant une assiettée de soupe, sa cuillère accomplissant d'une façon mécanique le trajet de la table à sa bouche, cette comédie du silence autour d'une détresse qu'il tentait de nous dérober. Pour avoir oublié ce Jubald-là, il faut que Hildegarde n'ait rien sous le crâne qu'un minuscule cocon de tendresse qui se dessèche et se ratatine pathétiquement. Je ne suis pas revenue de Rio pour son plaisir ni pour sa gloire, je n'ai pas changé mon fusil d'épaule et je pourrais tirer à bout portant n'importe quand. C'est pourquoi le potage, si délicieux soit-il, retournera à la cuisine. Olga trépignera de colère rentrée et Clift et Aïda mangeront des restes en mon honneur. Ce n'est tout de même pas la fin du monde !

Évidemment rien ne me rendra Jubald et tout le temps perdu à lui courir après. Je suis habituée à ce renoncement et si je ne l'étais pas, je n'aurais qu'à retourner douze ans en arrière, qu'à me remettre au deuil et aux grincements de dents de cette époque, qu'à répéter mentalement les maternelles objurgations de Hildegarde ad nauseam, qu'à déchirer mon âme en bouts de papier couverts d'ordures que j'appelais poèmes.

— Il faut laisser fermer cette plaie; après, tu verras, il nous reviendra plus aimant que jamais.

Elle en savait quelque chose, elle! Elle pouvait parler de plaies à fermer en toute quiétude, il lui restait de quoi attendre et gaspiller! Et qu'est-ce que je pouvais faire, hein? Je ne suis ni pyromane ni anthropophage, moi! Je n'élève pas de tigres ni de lions, ni un oncle Caligula pour mettre un terme à l'intemporalité de Jupiter! Alors je massacre les taupes et les écureuils qui ont envahi les jardins des *Cygnes*. Je fauche en une heure les cent soixante-trois roses de ses rosiers dont le parfum excessivement capiteux évoque celui d'Éléonore. Et je ne parle pas du piège perpétuel que je constitue, des manigances que je multiplie dans le but d'effaroucher tout ce qui a face humaine dans mes parages! Je n'en parle pas, cela n'en vaut pas la peine. Des sottes comme moi, il en pleut, il en neige!

Pas étonnant que je me sois conduite malicieusement à Rio de Janeiro où tout se confondait dans une ivresse étrangère, dans les déferlements des clowns et des bergamasques, dans les relents du café et du cacao. J'ai rêvé de Rio comme d'une explosion du monde, une éruption produite par la magie noire, afin que soit effacée la mémoire cataleptique de l'enfance et résorbé le destin. Il ne s'est rien passé essentiellement, Geo en est témoin et certainement pas près d'oublier ce mémorable voyage. Mais qu'on ne me fasse pas dire ce que je n'ai pas dit: Geo et moi avons traversé l'Amérique et nous savions que c'était un désert. La révolte n'a pas de sens, la fuite non plus. Quand on rentre chez soi, c'est que rien ne va plus ailleurs.

Ne porte pas le deuil de Jubald, Emmanuelle, Geoffroy a besoin de toi. Va-t'en aussi loin que possible! Épouse ce providentiel garçon! Débarrasse-nous de ton encombrant chagrin. Laisse-toi porter par notre amour! Mais moi, je n'aurai jamais besoin d'une mère qui me prenne par la main. Au lac des *Cygnes*, je pilotais un yacht, je nageais comme une truite et le lac était trop petit pour assouvir ma soif d'espace et de dangers.

Ce n'est évidemment pas assez pour affirmer mon autonomie, cela ne suffit pas comme confession, on me harcèlera jusqu'à ce que j'aie craché noir sur blanc ma version de la mort de Jubald. Mais qu'on ne s'attende pas à ce que je me frappe la poitrine à coups de poing, que je retienne mon souffle jusqu'à ce que mort s'ensuive comme le bon larron : le royaume de Dieu n'est pas pour moi de toute façon. J'ai relu les béatitudes et bien compris pourquoi !

Rina m'a livré passage et Jubald m'est apparu dans l'austère décor de son bureau. Il s'est lentement extirpé de ce décor et m'a ouvert les bras. Il m'a serrée sur son immense poitrail de bois franc et s'est mis à ressembler au compagnon de mon enfance. Cela ne pouvait pas durer longtemps : les visions, les extases, les fantasmes, c'est de la frime, c'est du vent !

— Ta visite me surprend et me fait plaisir. Mais tu sais que je suis vraiment occupé toute la journée. Alors, dis-moi vite pourquoi tu n'as pu attendre mon retour à la maison pour me parler.

Il a cru que c'était facile, que cela tenait compte du peu de temps qu'il a à me consacrer, que je me jetais dans la gueule du loup par désœuvrement, puis il l'a regretté :

— Si je n'avais pas voulu t'écouter, j'aurais fait répondre que je n'y étais pas. Allons, parle, je t'en prie.

Et puis après ? Ce n'aurait pas été la seule fois ! Son excuse passe-partout, je la connais par cœur, toutes ses secrétaires la déclament sur le bout des doigts, sans la moindre hésitation. Alors je prends mon air le plus futé :

— Est-ce que tu crois que tu rentres à la maison le soir pour moi ?

— Je rentre le soir à la maison, a-t-il dit fermement, c'est à toi d'en profiter.

— Tu ne comprends pas, tu ne veux rien comprendre. Je n'ai jamais rencontré quelqu'un d'aussi obtus.

Il a blêmi parce que j'avais l'air vraiment outragée et que je montais sur mes grands chevaux.

— Qu'est-ce que je ne comprends pas ?

— Que j'ai tué Éléonore pour toi. Ce n'est pas grand-chose mais il me semble que tu pourrais en tenir compte dans nos projets d'avenir.

Je constate avec soulagement que le mal, enfin, est fait. Il se recroqueville dans son puissant fauteuil de président de trente-six mille compagnies qui vient de perdre la face. Je crois bien que j'ai gaffé, mais le moyen de faire autrement ? Il n'y a pas tellement de gens qui supportent l'anonymat quand il s'agit de leurs actions d'éclat. Inutile de lui raconter le massacre du lac des *Cygnes*, le duel entre Éléonore et moi : le film d'horreur se déroule en ce moment dans ses prunelles folles. Je ne compte pas les secondes car elles me semblent plus longues et plus lourdes que d'habitude. Il me regarde enfin. C'est la première fois qu'il me regarde. Je suis forcée de reconnaître qu'il reprend aussitôt possession de lui-même, qu'il ne tremble pas des lèvres ni du menton : son invulnérabilité me fascine, Jupiter n'a qu'à aller se rhabiller, il ne va pas à la cheville de Jubald. Sa voix non plus ne tremble pas :

— Si ce que tu racontes est vrai, j'espère que tu ne le crieras pas sur les toits. Tu es ma fille et tu es vivante. Tu tâcheras d'être une bonne épouse pour Geoffroy...

— Plutôt me livrer à la police !

Il m'aurait volontiers étranglée pour cette bravade, mais moi qui n'ai rien à perdre, je joue mes cartes sans discernement, j'accumule aveux sur aveux, mon amour, ma virginité volontaire, mon refus d'appartenir à quelqu'un d'autre. Je mets dans la balance toutes mes actions héroïques, bonnes ou mauvaises, mes efforts concrets pour éviter de déchoir. Ce salmigondis ne le rebute pas, ne l'offusque pas, ne l'écœure pas ; reprenons courage, il ne sort pas de ses gonds, je crois même qu'il aura pitié de moi, qu'il ne me repoussera pas, qu'il ne voit pas de crime où je n'en distingue pas moi-même. Il se dresse derrière son bureau calmement :

— Nous parlerons de ces choses ailleurs que dans un bureau. Je suis désolé de t'avoir privée de mon attention, et je te promets de t'écouter de toutes mes forces. Mais en attendant...

— En attendant ?

— Sois sage et patiente avec toi-même, Emmanuelle.

Il est triste mais moi, je jubile, j'ai sa promesse, j'ai sa parole. Il peut m'en croire, je n'attendrai pas longtemps, ma patience a encore moins de patience que moi ! Jubald est un sage, un prophète de bonheur, il m'a rendue à la vie rien qu'en mettant sa main sur mon épaule. Comment douterais-je à présent que le bonheur soit à ma portée?

Jubald a dû sonner sa secrétaire. Elle est entrée subitement et m'a accompagnée vers la sortie. Avant d'avoir atteint le rez-de-chaussée d'ailleurs, je rencontre Geoffroy qui me reçoit à bras ouverts, qui se demande d'où vient ma belle humeur. Aïe! vieux frère, tiens-toi bien! Je te raconterai peut-être un jour le fin mot de l'histoire. Fiancée hier, épousée demain, la terre tourne au même rythme d'enfer, Atlas est là pour s'en occuper! En rentrant à la maison, je n'avais plus de pierre sur l'estomac, plus de boule dans la gorge. Je me souciais du vertige comme de mes premières bottines. L'air de décembre est le meilleur de la planète, on le sait, tous les Vikings et les Lapons le savent en tout cas; je ne m'étonne donc pas de la facilité que j'éprouve à respirer, comme si je n'avais fait que cela toute ma vie...

Quel récit insignifiant je ferai, quel roman à la gomme si je le compare à l'inspiration qui me traîne au cœur! Deep magic, inaccessible magie! Un jour Charlotte Vasa elle-même mettra la hache dans ses vitraux et se retrouvera dans une forêt de verre en technicolor: cela valait-il la peine, hein, de s'esquinter dix-huit heures par jour pour justifier cette fin?

DEUXIÈME PARTIE

Narration : Hildegarde

1

Nous nous sommes rencontrés, j'avais peut-être quinze ans, lui, vingt-trois. Je n'ai qu'une mémoire confuse de la chronologie de nos rencontres qui provoquèrent, semble-t-il, une seule et infinie découverte l'un de l'autre, une aventure à ne jamais interrompre, la mainmise d'une certaine fatalité sur nos corps, nos âmes, nos avenirs. Ces liens entre nous seront peut-être tranchés à travers le drame ou le crime; mais jamais nous n'y toucherons, ni l'un ni l'autre, pour en menacer l'harmonie.

Nos relations conjugales n'ont rien à voir avec ce pacte, elles ne sont pas la cause mais l'un des nombreux effets de notre première rencontre. Moi je dis que tout est partie engagée et liée à deux et que les distances n'existent pas entre nous. Jubald vit, comment dire? dans une abondance, une indécence qui le rendent à la fois irrésistible et effrayant — je soupçonne Emmanuelle d'être souvent scandalisée par nous! — et moi, j'étale sous ses pas le tapis rouge de ma liberté. Autant le dire tout de suite, je dois mon âme et davantage à Jubald. La trame banale de mes journées ne saurait rendre compte de nous, sa brillante agitation d'homme d'affaires non plus. Ces trompeuses apparences ont d'ailleurs pour rôle de leurrer ceux qui doivent l'être, qui nous montrent du doigt pour un oui, pour un non, qui ont pour tout dire le pouvoir de nous empêcher d'être nous, de corriger ce que nous sommes : amoureux et vulnérables.

— Tout vous a été donné, Hildegarde, ce n'est pas juste !

Corinne qui est jalouse par devoir ou par bon sens ne dit pas tout. Elle nous considère hors de l'angoisse et de la finitude humaine. Nous verrons-nous vieillir, Jubald et moi ? Connaîtrons-nous ces mystérieuses libertés auxquelles tout le monde fait allusion mais qu'on ne définit jamais ? À quelles apparences échapperons-nous afin que ne se perdent aucun battement de cœur, aucun signal de détresse ? Le passé fut peut-être trop facile. Je crains surtout qu'il n'ait jamais existé que sous les lugubres reflets de valeurs artificieuses : l'argent, la beauté, le succès. Je sais que le sol bouge sous nos corps, que la menace sourde et concrète d'un ébranlement persiste et se précise.

Car je n'ai pas oublié Éléonore. Je ne dois rien négliger pour garder sa vivacité à ce souvenir, je ne dois rien faire pour l'écarter de ma pensée. Que serait-elle devenue si la mort ne nous l'avait enlevée ? Je me revois près d'elle, à trente ans soudain plus vague et turbulente qu'à douze, et plongée dans l'interrogation et la cacophonie qu'elle a suscitées involontairement par son image. Éléonore! Oui, elle est toujours là, petit fantôme éclatant et fardé de soleil. J'entends le rire rouge de son ventre, son cri sans limite qui traverse le lac et s'y perd brusquement. Est-ce à travers moi ou à travers Jubald que cet écho percute interminablement?

Voilà que je ne sais plus où Jubald commence, où je finis moi-même, que nos êtres se sont rejoints et transfusés l'un dans l'autre. Car je ne suis plus matière solide, mais une espèce de flamme ou de rivière, un mouvement continu à travers l'osmose qui m'injecte sa lumière et sa vélocité marines. Nous nous rassemblons d'une manière si inattendue que ma vue se brouille, que mes sens répercutent une voix, un courant de paroles chuchotantes et chuintantes que je n'ai jamais entendues distinctement. Éléonore, est-ce bien vous, ma chérie? Ne répondez pas, ne répondez plus jamais, je vous en supplie. Le cœur me fait mal, le cœur me lève et se répand.

C'est étrange que j'aie oublié son visage. Il y avait son extraordinaire chevelure rousse et ses robes; mais Éléonore n'a jamais montré son vrai visage, je suppose. Autrement, je me rappellerais ce qu'il fut avec exactitude. Elle se cachait derrière Emmanuelle. Je ne dois pas oublier Emmanuelle, il va sans dire qu'il m'est impossible de la rayer de ma mémoire. Elle vient à peine (alors) d'entrer réellement dans notre vie. Elle a treize ans et un joli profil pudique penché sur un cartable ou abaissé sur le tableau de bord du yacht qu'elle conduit avec un sang-froid remarquable. Elle me lorgne ou m'épie à distance et ne se laisse pas toucher sans que sa peau se hérisse de frissons.

Je m'aperçois avec douze années de retard que son teint n'a pas changé, ni ses yeux qui fixent le convoi funèbre avec la même indifférence et la même convoitise. Ne l'ai-je retrouvée que pour porter le deuil avec elle ? Devrons-nous, elle et moi, abandonner la rue des Vasques comme nous avons abandonné le lac des *Cygnes* ? Après le passage d'Éléonore, personne n'avait plus envie de ce paysage, de cette villa encore tout imprégnée de son rire et de ses couleurs. Nous avons passé l'éponge sur cet été-là comme sur un gigantesque tableau noir couvert de graffiti, et sur de tendres inscriptions dans l'écorce des bouleaux. Je me suis bouché les yeux et les oreilles, ce n'est certainement pas sans raisons.

Je n'ai pas pu ignorer le rôle que jouait Éléonore parmi nous, la signification de sa beauté et de la folie que son corps dégageait. Ne l'ai-je pas épié et reconnu, ce corps, n'ai-je pas compris l'extase où il baignait en toute innocence et simplicité ? Éléonore n'a-t-elle pas occupé chaque moment de ces journées d'ivresse où nos têtes tournaient, tournaient inlassablement autour du soleil ? La canicule l'a tuée ! Elle était la meilleure d'entre nous, c'est pourquoi Jubald l'avait flairée et choisie pour me crever le cœur.

Qui donc me gardait alors de la jalousie, qui me protège encore d'une rancune possible ? Je regardais le soleil sans haine, fixement, et j'étais inondée de caresses. Pareillement ensorcelés et voluptueux, nous suivions, Jubald et moi, ces fascinantes évolutions. Peut-être ne fûmes-nous pas attentifs aux avertissements de nos rêves et sourds à tout ce qui pouvait en troubler le plaisir ? Nous nous sommes perdus en chemin une première fois, Jubald. Je ne te raconterai pas de quelle façon j'ai traversé le désert pour te rejoindre, affronté le silence immonde élevé entre nous par la souffrance. Je ne savais pas encore ce que nous avions mutilé à cause d'Éléonore, peut-être ne voulais-je pas le savoir. Emmanuelle gardait silence, s'éloignait et se rapprochait de nous à un rythme insupportable. J'essayais de saisir au passage un aveu, une intention, une prière, mais n'étreignais toujours que du vent et la menace indéfinie de son regard fixe et fuyant. Qu'est-ce qu'elle me voulait ? Qu'est-ce qu'elle complotait derrière ces bouts de papier chiffrés qu'elle appelait des poèmes ? Je suis peut-être coupable de n'avoir pas deviné le sens de ces paroles qu'elle a finalement offertes à William Smith !

Emmanuelle marche à ma gauche désormais, et le convoi funèbre nous entraîne vers la colline enneigée où Jubald dormira dorénavant. Je me sens très forte et ce courage me préoccupe étrangement. J'aurais dû m'effondrer comme la première fois, derrière Éléonore, un peu en retrait parce que sa famille nous en séparait, refoulant à la fois notre sympathie et notre responsabilité : en effet, nous n'avions pas protégé Éléonore, une enfant de vingt ans à peine. Au contraire, nous l'avions exposée à la tentation et conduite à la mort. C'était peut-être vrai et le doute m'avait terrassée avant la fin de la cérémonie.

Il remonte en surface aujourd'hui, par je ne sais quelle confusion de mon esprit. Il remue les fonds de mes trous de mémoire, agite je ne sais quelles ressemblances indistinctes, quelles similitudes encore inoffensives. Je serai appelée à la réflexion, à l'étude de ces circonstances troublantes où Éléonore jadis, puis Jubald il y a trois jours à peine, ont choisi la mort, sans avertissement et sans explication. Autrement pourquoi serais-je moi-même encore vivante, non? Éléonore qui nageait comme un poisson s'est noyée dans le lac des *Cygnes* et personne ne s'est étonné de cette contradiction, comme si sa trop grande beauté l'avait destinée à une disparition prématurée. Et Jubald! Le conducteur du fourgon qui l'a frappé s'est entêté à répéter qu'il s'était jeté sous ses roues... Non, non, Jubald n'a jamais désiré la mort, pas même lorsqu'il a perdu Éléonore et notre enfant!

Je retournerai aux *Cygnes*. Je viens de m'y décider. Si je n'y trouve aucun signe, aucune explication, je veux au moins y recouvrer la paix, y rebrousser le chemin qui mène à mon âme.

Geoffroy et Emmanuelle vont se marier. J'en ai douté longtemps, mais ma fille est si imprévisible que je ne m'en étonne pas. Elle a d'abord repoussé Geoffroy avec un sans-gêne horripilant. En fait, elle n'a changé d'idée que depuis hier comme si même cette perspective exécrée était devenue soudain plus supportable que le vide créé par Jubald. Non seulement perdrai-je mon compagnon de vingt années, mais aussi Emmanuelle. Oh! je n'avais pas l'illusion qu'elle m'appartenait, pas même celle d'un voisinage agréable avec elle. Mais la grande maison qui nous contient tous nous divisera malgré tout, et moi, je resterai seule avec mes servantes.

Si longtemps j'ai dormi à l'ombre de Jubald. Jamais il n'a détourné de moi ses regards et son attention. Même Éléonore ne l'a pas distrait de ma présence, des liens incorruptibles qui nous ont unis devant la terre entière. Nous avons ensemble perdu un fils et nous en avons adopté un. Ce n'était pas à moi qu'il le destinait, mais à Emmanuelle. Qu'il soit définitivement rassuré; elle accepte enfin le don, l'héritage et l'avenir. Comme elle est seule au milieu de la foule! Quel pauvre visage elle abrite derrière le voile noir de son turban. Pourrions-nous mesurer l'étendue de sa perte? Me souviendrai-je de ce que c'est que de perdre un père, moi qui n'en ai pas eu? Les usines et les bureaux sont fermés ce matin par respect pour Jubald. Mon cœur et celui d'Emmanuelle et de Geoffroy le sont aussi, pour la même raison.

Emmanuelle n'a pas un regard, pas un sourire pour Geoffroy, mais elle règle son pas sur le sien, elle se fie à lui d'instinct. Sa voilette l'isole de nous et la protège. Qu'est-ce qui fait que cette jeune femme de vingt-cinq ans, anonyme dans sa douleur, me ramène insidieusement, douze ans en arrière, vers la fillette silencieuse et maléfique d'un autre deuil?

Un rideau de neige la sépare de moi. Je ne serai jamais plus près d'elle que maintenant, et la distance reste infranchissable. Peut-être n'ai-je guère aimé cette jeune fille désolée de vivre à mes côtés et refusant ma tendresse sans détour? J'ai voulu la combler de bienfaits, de connaissances, d'amis et de souvenirs. Elle a choisi au hasard de ses caprices et dilapidé mes offrandes. Elle a agi de même avec Jubald, ne tolérant de lui que sa présence dont elle fut insatiable, et rejetant ses largesses inutiles. Elle qui n'a pas pleuré à la mort d'Éléonore ne pleure pas sur celle-ci: son âme est sèche comme ses yeux.

Qu'importe! Je ne me tournerai pas vers elle pour quémander son réconfort, je ne chercherai point à la consoler non plus si tant est qu'elle souffre et se damne. J'ai autre chose à faire! Je devrai tout à l'heure accomplir une promesse jadis faite à Jubald: semer trois cèdres sur sa tombe, sous la neige. J'ai emporté trois graines dans un sachet et je ne pense plus qu'au moment où j'affirmerai par mon geste la mystérieuse intimité qui nous lie encore. Voilà ce qui m'intéresse, Emmanuelle, et je peux sans regret consacrer ma vie à regarder croître trois cèdres, à les tailler, à les embellir pour la gloire de Jubald. Il y a douze ans, il a semé un peuplier sur la tombe d'Éléonore, le savais-tu? Au fait, quelle taille peut avoir un peuplier de douze ans?

J'ai décidé de retourner vivre aux *Cygnes* cette année, d'y restaurer mes souvenirs et ceux de Jubald. J'ai beaucoup de temps pour me souvenir maintenant, je dispose de toute ma vie pour la première fois. Cette insondable perspective me ramène tout à coup à imaginer Geoffroy succédant à Jubald. Déjà son profil durcit, sa mâchoire dévie de son premier dessin. À l'église, tout à l'heure j'étais fascinée par sa masse immobile, par cette figure en subtile décomposition, en train de céder imperceptiblement au nouvel homme. Ce mouvement, si profond qu'il échappait sans doute à Geo lui-même, l'enlaidissait comme si sa chair fût surmenée par un gigantesque travail intérieur. L'espace d'un éclair, ses tempes étincelaient, la peau de sa face desquamait et se reconstituait pour un virtuel accomplissement. Geoffroy a été violemment court-circuité par la mort de Jubald. Des traces de ce choc se lisent dans toute sa physionomie qui est un livre ouvert. Geoffroy montre tout cela sans ostentation, sans bassesse non plus, avec tant de dignité que je crains l'éventuelle dérision d'Emmanuelle. Il doit savoir qu'elle déteste tous les bons sentiments! Mais je crains surtout qu'il ne consente ni au mensonge ni à l'intimidation, pas plus qu'il ne tentera de briser l'emprise de la fille de Jubald. Il a choisi l'amour et je ne crois pas qu'il réduira sa part du monde, même si Emmanuelle devait lui opposer haîne ou trahison. Ne sont-ils pas frère et sœur d'adoption depuis des années, avertis l'un de l'autre à notre insu, par la seule complicité de leurs âges et de leur camaraderie?

Je ne prendrai pas l'habitude de la mort. Un deuil en traverse un autre mais ne le remplace pas. Je vais de l'un à l'autre dans un mouvement de pendule, cherchant apparemment l'équilibre entre le début et la fin d'une séquence dramatique. Éléonore à une extrémité, Jubald à l'autre. Je veux refaire cet itinéraire, ce pèlerinage, dans le calme et l'objectivité d'un recul, maintenant que les distances ne pourront être modifiées que par ma seule volonté. Plus tard ce soir ou cette nuit, on me laissera tranquille, je deviendrai progressivement veuve et solitaire: je me pencherai sur nous, Jubald, sur toi surtout que nous ne connaissions pas, mais que nous nous disputions avec âpreté. Tu me pardonnais tout et je n'avais rien à te pardonner. Le premier geste que je poserai sera d'acheter des jeunes cygnes pour la villa, pour le recommencement du monde. Je me souviens que tu les aimais et que tu ne te lassais pas de leur blancheur.

Tu aurais tant aimé conduire toi-même Emmanuelle à l'autel! Rappelle-toi ses fiançailles et comme tu te pavanais à son bras devant nos invités! Nous demanderons simplement à Malcolm Barrymore de te remplacer. Et tandis qu'elle et son mari prendront la route du Brésil, moi je rentrerai aux *Cygnes* où tu m'attends peut-être. Une simple excursion dans le temps. Rassure-toi, je ne céderai ni à l'ennui ni au désespoir puisque tu continues d'être toute ma vie et ce que j'appelle l'éternité. À quoi servirait-il de mourir s'il en était autrement?

2

Réintégrer la villa, la reconnaître, accepter sa nouvelle odeur — non ce ne fut pas facile. Douze années d'absence — et d'occupation par des locataires inconnus — lui avaient viré l'âme à l'envers. Heureusement, mes trois fidèles domestiques m'accompagnaient : Clift, le chauffeur ; Olga, ma cuisinière ; Aïda, ma chambrière noire. Les deux femmes ayant été en service ici il y a douze ans, elles me réconfortèrent grandement. Leurs visages familiers, dans ce décor modifié par des hôtes improvisés et se relayant d'une année à l'autre, lui refaisaient une permanence, un climat, une hospitalité, sans tapage et sans artifices. Je me rendis compte que je n'aurais pas dû m'absenter si longtemps, qu'il ne faut pas plus abandonner les maisons que les personnes. Moi qui avais plusieurs fois fait le tour de l'année dans cette demeure, je me découvris maintes fois en état d'ébahissement et de panique. Mais Aïda veillait, elle m'expliquait tout et m'affirmait que, dans quelque temps, il n'y paraîtrait plus.

Aïda, ce matin, m'a réveillée comme elle le faisait autrefois : les mêmes gestes, — store relevé d'un doigt sec, rideaux écartés d'une coulée soyeuse devant le paysage encore tout blanc et sans mouvement — les mêmes paroles, et son parler gracieux et chantant :

— Hilda, il est huit heures.

— Emmanuelle est-elle levée, Aïda ?

— Elle prépare le déjeuner.

Eh oui, Emmanuelle a éprouvé le même désir que moi de revoir la vieille villa. Elle a repris aussi ses anciennes habitudes et contribué à rendre à cette demeure son premier visage. N'ai-je pas trop retardé à rentrer ici ? Au lieu de profiter de l'absence des enfants en voyage de noces, je les ai inconsciemment attendus. La solitude que j'escomptais m'a échappé et ma réadaptation risque d'être plus lente et plus difficile.

Cela me donne un choc de la revoir, sa tasse de café fumant entre les doigts croisés, les coudes appuyés sur la table, l'œil perdu au-delà de la baie vitrée, si pareille à la fillette de treize ans occupée au silence et à la solitude du matin. Par je ne sais quelle curiosité ou quel espoir, je suis poussée vivement vers cette rencontre matinale, comme si elle allait me livrer subrepticement le secret que j'appréhende. Pourtant c'est à peine si elle me voit, tout occupée qu'elle est à scruter un panorama aussi inévitable qu'invisible. Je la laisse achever son tour d'horizon, juste un peu agacée par la lenteur qu'elle y met.

Je dis oui aux biscottes, au café, à la confiture, à tout ce qu'Olga m'offre, sans avoir besoin de paroles. Nous nous concertons ou nous déplaçons sans bruit, pour ne pas déranger la contemplation d'Emmanuelle, le vague sourire abstrait qui ouvre ses lèvres, l'intense monologue qui se déroule derrière son front.

— Monsieur est parti pour le bureau il y a une demi-heure, dit finalement Olga qui a deviné mon attente, et parce que le mutisme d'Emmanuelle l'exaspère.

À compter de ces mots, Emmanuelle s'ébroue un peu, étire ses gestes, reprend pied dans la réalité immédiate comme si elle ne connaissait que cela. Elle se change en petite fille ravie d'échapper à la surveillance, en souris émoustillée par l'absence du chat.

— Geo reviendra ce soir, nous avons toute la journée à nous!

Je ne m'habitue pas facilement au détachement, à l'hostilité même qu'elle manifeste envers Geo, mais je refuse de la juger. Sait-on si quelque pacte obscur ne l'autorise pas à bouder ce mariage? Je ne discerne pas ce qu'elle pourrait reprocher à Geo, mais il ne se plaint pas davantage de l'attitude désinvolte, parfois même un peu choquante, de sa femme. Je ne peux formuler qu'une prémonition aveugle, une observation mitigée par l'angoisse et la suspicion. Qu'est-ce que je sais d'Emmanuelle, après tout? Jusqu'à treize ans, elle a vécu, auprès de ma mère, l'enfance dorée de beaucoup d'autres petites filles. Elle est entrée dans ma vie, et de fort mauvaise grâce, après la mort de sa grand-mère. Je pense avec stupéfaction que je ne l'aurais peut-être jamais connue si ma mère n'était décédée subitement. Cette situation a beau être anormale, je ne me suis pas encore posé la question essentielle et redoutable qui surgira inéluctablement : pourquoi a-t-elle vécu si loin de moi ? Elle adorait Jubald par bonheur et, par le truchement de cette affection, j'ai pu me persuader que son existence restait possible. Peut-être l'ai-je cru parce que je n'ai jamais été très proche d'elle et qu'elle n'a pas cherché à me rejoindre ? Je n'ai pas soupçonné qu'il était si malaisé d'apprivoiser une fille, aussi ne l'ai-je jamais apprivoisée réellement.

— Hildegarde, j'aimerais commencer par le grenier.

— Commencer quoi, grands dieux ?

Aussitôt, le visage d'Emmanuelle s'assombrit, elle se recroqueville. Apprendrai-je jamais à l'écouter loyalement ? Il est trop tard pour rattraper ma distraction mais j'évite son regard sombre pour avoir au moins le courage de revenir dans le jeu et proposer effectivement que nous commencions le ménage par le grenier. Elle se rappelle sans doute qu'elle y passait autrefois de longues heures à l'ombre des vieux livres, à la recherche peut-être de quelque document qui l'eût rattachée à nous de toute éternité. Ou cherchait-elle une explication plausible à son exil ? Ô Jubald, est-ce bien toi que je retrouverai entre ces murs pleins d'échos ? Parfois je m'éveille la nuit, ma peau tombe en poussière, mon corps s'amenuise au point de n'être plus que le squelette de mon être aboli. Alors j'émerge de toute mémoire, le cœur battant, et je me jette avec voracité sur les restes de mon âme.

Emmanuelle partage ostensiblement mon deuil, parfois j'ai l'impression qu'elle l'accapare, que je n'ai plus qu'à prendre mon trou. C'est un sentiment excessivement pénible, extravagant bien sûr, mais qui me laisse sans défense. Père ou amant, quel homme suffira à rallier ses innombrables compagnes ? Ma fille m'arrache chaque parcelle de Jubald pour consolider sa propre image. Chacune de nous gruge la part de l'autre. Est-ce que je ne cherche pas avant tout à détruire le père d'Emmanuelle ? Je sais ce qui me rapproche d'Éléonore en fin de compte : nous avons aimé le même homme et son amour confirme le mien.

Je me trouble chaque jour davantage. Peut-être devrais-je renoncer à cette lutte contre le temps, à rebours de notre beau rêve. Peut-être, mais pas au moment où, subitement, le passage d'Éléonore s'éclaire d'une lumière nouvelle. Un instant, j'ai cru voir l'envers d'Éléonore, sa silhouette dédoublée, projetée sur le mur de ma chambre. Je l'ai fixée sans répit pendant de longues minutes. Je puis l'écrire sans erreur, Emmanuelle était cette doublure et elle a fini par absorber complètement la première image, l'image éblouissante du dessus.

Nous avons commencé par le grenier et nous en resterons probablement là car je suis désormais plongée dans la lecture d'une correspondance vieille de plus de douze ans. Je n'ai pas fini d'en apprendre sur Emmanuelle. Ainsi, cette curieuse habitude de conserver une copie de chacune de ses lettres. J'ai glissé des liasses de ces copies dans mes porte-papiers. Je passe déjà des nuits à lire ces jambages d'une méticuleuse et tumultueuse inspiration. Des cartons entiers de correspondance me livreront-ils ma toute secrète Emmanuelle ? Je découvre en elle la bizarre adolescente qui a passé comme une ombre un certain été et m'a glissé entre les doigts.

Emmanuelle a la bougeotte et ne se doute pas qu'elle favorise ma curiosité. Elle réclame Clift chaque matin et se fait conduire je ne sais où. Je ne m'en inquiète pas, son absence me repose et me donne l'illusion d'être libre et entièrement occupée à la connaître et à l'aimer. Il vaut mieux que je reste seule pour préparer l'itinéraire où je m'engagerai et menant à ma propre naissance. Pour la première fois de ma vie, je veux découvrir la mère d'Emmanuelle, lui donner un nom, une histoire, créer des liens qui la rassurent et l'affermissent.

Je me suis adressée aux archives de l'hôpital et j'ai consulté ce dossier vieux de vingt-cinq ans, celui des minutes initiales de l'existence de Marie-Justine-Emmanuelle, fille de Jubald Elliott et Hildegarde Goudge. Ma fille, preuves en main, est née à sept heures et sept minutes, un sept juillet. Je tourne et retourne entre mes doigts ce document insignifiant, dont aucune mère n'aurait besoin pour reconnaître son enfant. Il me remplit pourtant d'une joie très vive, avant de me précipiter dans une détresse tout aussi vive : pourquoi ma main tremble-t-elle sur ce bout de papier sinon parce qu'il me renvoie à l'abîme où j'ai une première fois perdu mon enfant ? On m'a dérobé ma fille pendant treize ans et je n'ai pas protesté ? J'ai ignoré son existence purement et simplement. Quelle aberrante consolation !

Car ces années vécues loin de moi, auprès de ma mère, l'ont métamorphosée en étrangère. Elle ne m'a pas reconnue lorsque je lui ai tendu les bras, elle m'a repoussée de toutes ses forces. Je n'avais pour elle ni visage ni chaleur. Mais qui m'expliquera cette terrible séparation ? Sa première lettre — elle a sept ans et s'adresse à Gertrude, une compagne de pension — dit soudain : « mon père est un géant doré ». Elle possède un père donc, qu'elle idolâtre et qui veille sur elle avec une réelle, une indéfectible tendresse. « Il me berce, il dessine des licornes sur mon papier bleu. Il dit un nom : ildegarde. » Elle a écrit *ildegarde* sans majuscule, sans *h* non plus. Et il me revient à la mémoire cette passion pour les licornes, ces recherches mystérieuses pour en retracer l'histoire, ces innombrables croquis de la bête fantastique.

— Je retombe en enfance ! disait-il.

Et voilà que la fillette apprend mon nom de la bouche de Jubald. Il la prépare, dirait-on, à me connaître, à deviner mon existence. C'est à ma place qu'il la berce et la couvre de baisers. Elle ne lui écrit jamais; ils se voient plusieurs fois par semaine, à mon insu, sous mon nez peut-être, ou peut-être n'existé-je pas! « Grand-mère copie toutes mes lettres pour ses archives. »

La fillette de neuf ans qui me nargue par ces mots n'a pas une parole de pitié ou de curiosité envers moi. Je fouille fiévreusement les courtes missives qui élucident peut-être mon propre mystère. Une phrase revient continuellement, et sa banalité m'irrite: « Ildegarde est à l'hôpital. »

Depuis trois jours, presque jour et nuit, je nage dans le bouillonnant sillage d'Emmanuelle, et une étrange enfant naît, moitié sirène, moitié épave, une enfant pour qui je deviens cette licorne fuyante, à la corne venimeuse, que même les dessins de Jubald ne changeront pas en mère réelle et désirable.

— Hilda, vos yeux sont cernés. Que faites-vous donc toute la journée?

Geoffroy m'observe avec cette espèce de terreur qu'éprouvent les hommes qui remarquent les premiers signes de vieillissement sur des visages de jolies femmes. Depuis que j'ai emménagé à la villa des *Cygnes*, mes quarante-cinq ans m'ont devancée, ils impriment leur marque aux coins des yeux et de la bouche. L'observation de Geo me réconforte autant qu'elle m'agace: il y a donc quelqu'un qui se soucie de moi?

— Oh! je me néglige un peu, je suis si seule.

Il a tressailli :

— Et Emmanuelle ?

— Elle se promène dans le parc. Elle a besoin de détente, Geo.

Et j'ajoute étourdiment, avec une gaieté un peu forcée :

— Je jurerais qu'elle est enceinte.

Mon Dieu, pourquoi ai-je dit cela ? Geo est resté sans mouvement, intensément préoccupé, à regarder à travers moi.

— Vous le croyez vraiment ?

Sa voix a tremblé, je le jurerais.

— C'est une impression, Geoffroy, Emmanuelle ne me fait pas de confidences.

Il s'est versé un scotch, a saisi son journal et a gagné son fauteuil. Comme d'habitude. Depuis mes récentes découvertes dans les cartons du grenier, je ne compte plus sur lui pour démystifier Emmanuelle. Elle échappe vraisemblablement à sa sollicitude autant qu'à la mienne. Elle ne nous livre qu'un corps sans âme, à peine une silhouette, un profil. Elle n'est que l'ombre de son ombre. Jamais Jubald n'aurait abandonné Geo comme je le fais à la colère et à l'hypocrisie d'Emmanuelle. Ce n'est pas de la joie, ni même une joyeuse incrédulité qu'il a manifestées tout à l'heure, mais une peur et de la stupéfaction. Il n'a plus confiance en moi et se renfrogne derrière son journal. Il me soupçonnera peut-être d'avoir inventé cette grossesse en guise d'excuse pour le comportement erratique de sa femme. Je mérite son mépris, je supporterai son silence, mais qu'y aurait-il de si étonnant si Emmanuelle était enceinte ?

C'est avec une frénésie croissante que je pille les coffres du grenier. Je ne recule devant aucune serrure ni aucun sceau. Voici ma récompense : dans une vieille malle à lingerie dormait la correspondance d'Emmanuelle après son installation à la villa. On l'avait scellée dans une large enveloppe verte. Emmanuelle a perpétué l'habitude de sa grand-mère et recopié impudemment ces lettres. Une satisfaction féroce et douloureuse me saisit, j'improvise avec avidité une séance de lecture, entraînée précipitamment d'une missive à l'autre. Cette fois je ne serai pas épargnée : à travers mes sanglots et des râlements d'horreur, j'entre dans cet été mémorable où Jubald et moi accueillions avec tant d'amour notre enfant. Oh ! oui, j'étais tout espoir et toute humilité ! « Gertrude, il faut absolument que tu persuades Éléonore de venir aux *Cygnes*. J'ai pour elle d'extraordinaires projets d'avenir. Jubald est un prince, un dieu, un seigneur. Il hait comme je la déteste Ildegarde... »

Je reviens à moi. J'étais engloutie dans une mer de papiers froissés, maculés de cette écriture cabalistique et hargneuse. Mes tempes battent la chamade. Le refus de mourir ainsi, dans la terreur et le dénuement de mon être trahi de part en part, déclenche en moi une réaction instantanée. Je cueille l'un après l'autre les feuillets épars, je les rassemble scrupuleusement, j'en remplis un cartable. Mes gestes sont secs et précis, presque automatiques. Aucune importance puisqu'ils me permettent d'exercer sur mes émotions un contrôle efficace. Ainsi furent sans doute secouées, de temps immémorial, les femmes dont l'âme et la chair dupées se rebellaient.

Quelle énorme tromperie que l'instinct et l'amour maternels ! Quelques mots venus d'au-delà de la mort m'en ont appris davantage sur le cœur des femmes que les sermons des manuels dévoués au cercle de famille. Aussi écouterai-je jusqu'au bout les confidences d'Emmanuelle. Je la contraindrai à cracher son venin à notre face, quelles que soient les conséquences de notre affrontement. Je relirai aussi le recueil de poèmes publié par William Smith. À l'aide d'un calmant, je plonge déjà dans ce dossier excessivement intéressant. Ce que je cherche maintenant, dans ma fureur et ma certitude, c'est l'aveu de son crime. Elle n'a certainement pas résisté à l'orgueil de cette confession.

Je lis tout. Même les réponses de Gertrude. Fût-elle envoûtée par Emmanuelle pour avoir si peu deviné les intentions et les projets objects qu'elle mijotait ? Pas plus aujourd'hui qu'autrefois, je ne parviens à haïr Éléonore, à saccager sa beauté et l'innocence de son amour. Au contraire, c'est en elle que je me réfugie et me console. Je peux comprendre l'amour, car sa blessure est facilement reconnaissable. Pauvre, pauvre Éléonore ! Et pauvre de moi, car je suis condamnée, inéluctablement, à la vieillesse et au souvenir. Peut-être même devrai-je rendre Jubald, intact, au passé qui monte en moi ? Je perdrai tout. J'avais les yeux fermés et, si je les ouvrais, des objets brillants et beaux occupaient ma vue, des hommes, des femmes, des maisons, des fleurs, des oiseaux. Qu'aurais-je tiré de plus de l'investigation du monde, de l'interrogation forcenée des êtres, comme Emmanuelle, que le passé parachutait en moi ? — Je perdrai cette immunité, cette impunité que la présence de Jubald m'assurait, mais je serai vulnérable, donc plus réelle. J'aurai donné la vie à cette mère qu'Emmanuelle n'a pas connue et dont j'ai si grand besoin à mon tour.

3

Quel hôpital et quelle maladie se cachent à l'ombre de cet « Ildegarde est à l'hôpital » ? La phrase jaillit et percute à travers la correspondance d'Emmanuelle mais ne devient pas la mine de renseignements que j'escomptais. Quel hôpital ? Hormis quelques bavures de l'âge, mon corps affiche un bilan positif. On ne marine pas à l'hôpital pendant une douzaine d'années sans cause évidemment. Rien ne servirait de m'énerver. Emmanuelle a éprouvé envers moi des sentiments négatifs, mais son imagination me percevait comme une espèce de monstre. Un flot de questions me harcèlent à ce sujet et l'humiliation que j'ai subie à la lecture de ses lettres enfantines devient moins cuisante. Je n'obtiens pas de réponse mais, à l'instar d'Emmanuelle, la fidélité de Jubald me rassure. Pendant plusieurs années, il accapare entièrement mon souvenir, il occupe tout l'espace disponible en moi. Avec Aïda, il comble mes attentes et freine ma curiosité. Il me semble que, hormis ces deux êtres, personne ne m'ait vraiment accompagnée dans mon périple nocturne.

Au grenier, je cherche vainement quelque fichier ou encore les livres de comptabilité relatifs à nos deux propriétés. Non, il n'y a rien. Quelque coffre-fort de notaire conserve sans doute ces reliques de notre histoire. Un instinct plus fort que la peur, plus fort que l'inconnu, me pousse à enquêter en profondeur et à défier la prudence de Jubald. Il me faut absolument percer le mystère du temps que je n'ai pas vécu.

— Clift, amenez la voiture. Je vais en ville.

Toute la campagne s'est ouverte comme un seul et unique bourgeon, à mon insu s'adonnait au printemps avec sa fougue habituelle.

— Quel jour sommes-nous, Clift?

— Le douze mai, madame.

Clift me dévisage avec étonnement, presque avec réprobation. Qui suis-je pour me permettre d'ignorer un printemps et les exaltantes transformations de la nature?

— Vous me laisserez chez Me Barrymore.

Je parle un peu sèchement; j'ai si peu parlé depuis quelque temps que ma voix détonne et vibre désagréablement dans l'air trop doux. Je ne trouve plus rien à dire pour éclairer les gros yeux embués d'Aïda, le matin. Autrefois cent réflexions oiseuses ou anodines s'offraient en un fouillis aimable. La journée est si belle que j'oserais peut-être renoncer à ma quête pour une promenade au bord du lac. La lumière du soleil suffirait à mon cœur. Pourtant je m'engouffre frileusement dans la voiture, je serre les dents et les poings sur mon sac. Je m'enferme dans l'étau solide d'une volonté irrésistible. Quoique Jubald m'ait constituée l'héritière de tous ses biens, l'administration de ces biens appartient à Malcolm Barrymore. Il ne sera donc pas étonné de ma visite ni de l'intérêt subit que je porte aux affaires de mon mari.

— Plus vite, plus vite!

La route est cahoteuse, mais mon impatience ralentit la voiture. Il y a belle lurette que j'ai oublié la vitesse de croisière de la cadillac. Au risque d'exaspérer Clift, je le houspille à mi-voix, je le talonne, je lui pousse dans le dos.

— Faut-il attendre Madame ici?

Il s'est retourné vers moi, je le dévisage stupidement avant de comprendre puis réponds avec nervosité:

— Non, non. Je rentrerai rue des Vasques, ce soir. Retournez à la villa: Emmanuelle aura peut-être besoin de vous.

Il incline le front, ouvre la portière, m'extrait presque de la voiture. Chacun de ses gestes pourtant réglementaires et consacrés par l'habitude me protège, m'enveloppe d'une présence à laquelle je n'avais jamais été sensible avant aujourd'hui. Tout à l'heure, n'ai-je pas curieusement noté la chaleur apaisante de la voiture? Pourquoi ces détails tactiles prennent-ils tout à coup d'assaut ma sensibilité dormante? Une foule d'observations traversent mon crâne, lui imposent leur immédiate volupté, éprouvent mon âme transie par l'immobilité. Je me surprends à flairer l'odeur d'encaustique du salon d'attente. Une femme en couleurs vives est assise dans un fauteuil sombre. Je la transforme en parfums, grâce à des calculs complexes d'une alchimie qui l'est plus encore — pour passer le temps. Soudain Me Barrymore s'encadre dans la porte de son bureau, subtilise la femme et le fauteuil qui la portait, éparpillant dans le courant d'air mes élucubrations odorantes et volatiles. Je me jette dans ses bras en me rappelant sa très ancienne amitié avec Jubald et la parité de leurs âges. N'ai-je pas le droit de pleurer devant lui ?

— Malcolm ! Malcolm ! je crois que je deviens folle !

Il m'escorte, il me porte quasiment à mon fauteuil. Sa chaleur et sa force m'environnent, il n'aura qu'à prononcer mon nom pour que s'envolent mes mauvaises pensées !

— Je vous attendais plus tôt, Hilda, vous n'avez donc pas pensé à moi ?

— Si, si, Malcolm.

Ce à quoi j'ai pensé, est-ce que j'y pensais vraiment ? Puis-je avouer sans honte que ces pensées me cassent la tête et me font enrager ?

— Je suis venue vous demander la clé du coffre-fort familial. J'ai besoin de consulter certains documents...

Malcolm ne sourit plus du tout. Son beau long visage se raidit, mais si imperceptiblement que je n'aurais rien vu si je n'eusse développé ces derniers jours une extrême acuité de perceptions et une excitabilité extraordinaire.

— Vous savez que Jubald a exigé que tous les documents soient gardés rigoureusement secrets.

— Contournez la loi, brisez vos promesses, mais rendez-moi justice ! Une menace pèse sur nous, à cause de ce que j'ignore de moi. Je ne connais pas mon passé et...

Il prend mes poignets, me soulève jusqu'à lui, me donne asile au sein de ses yeux sombres et transparents, à même la solidité de son corps. Il me hisse contre la muraille de ma solitude.

— Rien ne vous rendra la sérénité si vous la perdez, Hilda.

— Je vous en prie, Malcolm, pas de sermons, pas de menaces !

Mais j'aurai beau supplier, que pourrai-je obtenir de ce sphynx ? Que nous restions assis ensemble, parallèles, dans un décor de bois roux et blond, sévère et lumineux.

— Si je vous dis qu'un danger me guette, si je vous décris les fantômes qui me hantent, vous m'écouterez ! Il n'y a pas de parole qui tienne contre mes droits. J'ai déjà découvert tant de choses de mon passé ! Les lettres d'Emmanuelle...

— Des lettres ?

— Des lettres, oui ! Plein des cartons, plein le grenier. Et je veux savoir où j'étais après la naissance de ma fille. Il n'y a rien dans mes souvenirs, ni maison, ni visage, ni ville, ni paysage. Rien. Rien que sa parole d'enfant qui m'envoie à l'hôpital. Quel hôpital, Malcolm? Pourquoi? Pourquoi ai-je oublié pendant treize ans que j'avais une enfant? Aucune femme n'oublie ces choses-là! Que s'est-il donc passé pour moi?

Je crie, je vais hurler s'il ne répond pas.

Il me prend dans ses bras. Il écoute avec attention, avec bienveillance, mes cris et mes plaintes, il a mal pour moi. Sait-il ce qui se passe dans ma tête, comprend-il ma révolte?

— Calmez-vous, Hilda. C'est à l'Institution du docteur Holt que vous avez vécu durant ces années. Ça n'a rien de mystérieux, rien de honteux. Jubald ne voulait pas en parler, c'est tout.

Comme c'est simple, n'est-ce pas? Je n'avais qu'à demander pour recevoir, pour qu'on m'en mette plein les bras! Personne n'a jamais eu envie de se souvenir d'un séjour chez le docteur Holt, parmi ses fous et ses psychopathes, c'est aussi clair que cela! Pourquoi insisterais-je encore? Je sais tout ce qu'on veut bien me laisser savoir! J'ai vécu heureuse avec Jubald que j'aimais et qui m'aimait. Rien n'a interrompu notre bonheur. Puisque j'ai eu la chance d'échapper aux griffes de Holt, je ne vais pas prendre le risque de démolir son noble ouvrage. Malcolm me prend contre lui, il me berce. Il m'endort, croit-il, toutes ses énergies repliées sur mon âme blessée, sur mon corps si las, si las... Je sens que je devrai lui arracher chaque parole par le même chantage, le même larmoyage épuisants.

— Combien de temps exactement, Malcolm ?

— Sept années complètes, puis on vous libérait pendant l'été. C'est à votre fille que Jubald a consacré son cœur vacant jusqu'à votre retour il y a douze ans.

Une jalousie lointaine, défigurée par l'amnésie, une jalousie insensée m'agresse aussitôt, me donne le cafard, me couvre de honte. Qu'elle soit ma fille ou non — quelle importance ? — Emmanuelle m'a pris Jubald pendant douze années au moins. Elle l'a façonné à sa manière, admiré, cajolé, intéressé, consolé, alors que je m'effaçais au fond d'une cellule où j'avais perdu la tête. Grands dieux, Malcolm Barrymore, taisez-vous ! Chaque mot d'explication, ou de consolation ou de sagesse accentue ma colère. Ai-je dit que je cherchais la vérité, que j'étais assoiffée de vengeance ? J'ai seulement dit que j'allais mourir, que l'enfer s'ouvrait sous mes pas.

Je vois Jubald penché avec bonté sur l'enfance d'Emmanuelle. Moi qui connais les détours et les délicatesses de sa tendresse, je ne peux retenir un hoquet de détresse. Malcolm m'apaise sans paroles, rien qu'en restant immobile et muet tandis que je m'agite et me déchire.

— J'ai besoin de colère et de haine, frappez-moi, détestez-moi !

Malcolm ne perdra pas patience, il est trop futé pour cela. Je vais me buter à son incommensurable aménité, à son autorité, à ses qualités plus grandes que nature, à sa parfaite neutralité. Je vais m'écorcher les poings sur le mur de son insensibilité. Alors il lui restera encore assez de forces pour me remettre debout et me dire avec componction :

— Pourquoi ne pas laisser dormir ce passé, mon amie ?

— Mon passé ne dort pas, Malcolm, Emmanuelle est vivante.

— Geoffroy l'a épousée, c'est lui qui en prend soin désormais. Vous n'êtes responsable que de votre bonheur, non ?

Qu'est-ce que le bonheur vient faire dans ce ramassis de ruines et de décombres ? Il n'y a que Malcolm pour débiter de telles incongruités ! Cette fois, je ne marche pas. Je ne suis plus la docile pensionnaire du docteur Holt, je suis une femme qu'on dépouille de son cœur, qu'on disperse pour lui apprendre le renoncement et le mensonge. Il ne faut pas réveiller le lion qui dort, hein ? Un lion qui se réveille, ça rugit, ça effraie, ça dérange tout le monde !

— Peu de femmes ont eu, comme vous, douze années d'amour sans ombre auprès d'un homme aussi extraordinaire que Jubald.

Continue, Malcolm Barrymore, enfonce le fer dans la plaie ! Rien ne sera ajouté à ces années, pas une seconde, le néant s'est refermé sur elles. Une veuve qui ne se console pas insulte son amour, renonce à la vie. C'est du poison vif, une femme en maraude dans ses souvenirs ! Tant pis. Si Me Barrymore refuse de m'aider, j'irai fouiner ailleurs : il y a de la dynamite plein le grenier de ma villa. Et je n'ai pas encore vidé tous les tiroirs!

— Je m'en vais, Malcolm, il est tard.

— Pourquoi n'invitez-vous pas quelques amis aux *Cygnes,* Hildegarde? Cela vous distrairait.

Quel sourire affable et séduisant il a! Et cette façon de vous envelopper d'un regard qui insiste et vous pénètre insidieusement. Son message est clair comme de l'eau de roche et me chicote un peu. Je lui rends regard pour regard, dent pour dent. Je lui concède la partie, mais à charge de revanche.

— Eh bien! vous serez le bienvenu aux *Cygnes,* Malcolm, quand il vous plaira d'y venir.

— Je n'y manquerai pas.

— Voulez-vous appeler Geoffroy? Je rentrerai à la villa avec lui, ce soir.

Je n'ai jamais eu autant hâte de rentrer. L'idée qu'Emmanuelle est seule à la villa m'est insupportable. Qu'est-ce qu'elle peut bien y faire, sinon forcer les serrures des tiroirs où j'ai enfermé ses lettres! Plus je retarde, plus elle en profite pour m'arracher les secrets que j'ai si péniblement acquis. Elle saccage mes armoires, s'empare de chaque bout de papier qui l'incrimine, elle détruit le peu d'espoir qui persiste en moi de la débâillonner!

Cette visite à Me Barrymore m'a énervée. J'aimerais raconter à Geoffroy ce que je viens d'apprendre; j'aimerais voir son visage se décomposer et trahir sa profonde stupéfaction s'il apprenait que sa belle-mère a passé des années à l'ombre du célèbre docteur Holt. Ou peut-être éclaterait-il de rire en pensant avec un certain soulagement à Emmanuelle dont la mère... Oui, oui, je pourrais instruire Geoffroy et lui rendre un fier service en lui répétant que le passé est clos et ne laissera pas de traces dans son jeune ménage. Mais Geo s'entête à ne pas prononcer un seul mot qui me permette la moindre confidence. Il trouve absolument normal que je sois allée chez Malcolm Barrymore et s'attend sans doute à ce que je l'interroge à son tour sur le roulement des usines et le volume des exportations. Non, je regrette, je ne suis pas d'humeur à jongler avec des chiffres tandis qu'Emmanuelle fait la pluie et le beau temps à la villa, tandis qu'elle s'effrite en poussière et risque d'être balayée par le vent. Aïda a certainement ouvert les fenêtres, elle n'a jamais pu résister à la brise parfumée et nostalgique du printemps! Vite, Geoffroy, nous n'arriverons jamais à temps!

Curieusement la voix de Me Barrymore me poursuit, calme-toi, calme-toi, mon cœur, les beaux jours ont commencé, une saison de lumière s'allume pour toi! Si je pouvais y croire! J'ai été trop longtemps recroquevillée jusqu'au cou dans le sable, en sécurité dans mes habitudes et celles de Jubald. La terre tremble maintenant, la terre s'ouvre et se lézarde: il n'y a plus d'abri dans ses ténèbres. Il n'y a que le mouvement de cette voiture qui me protège et cet homme, pétrifié au volant, dont la face s'est changée en pierre. Il se prépare sans doute à emboutir l'horizon qui s'est refermé brusquement sous son nez : Geoffroy, avant tout, est un homme d'avenir.

4

— Qu'y a-t-il, Clift ? Où est Madame ?

— J'ai conduit Madame à l'hôpital.

— Quel hôpital ?

— C'est la troisième fois que j'y mène Madame depuis votre séjour à la villa.

— J'y vais, tranche Geoffroy, déjà prêt, à peine arrivé, à repartir sans savoir même où il ira.

Mais Clift s'interpose, ce qu'il ne fait jamais, ce qu'il n'a jamais osé faire.

— Je demande à Monsieur de n'en rien faire : j'ai promis de garder le secret.

— Mais vous avez parlé, dit Geoffroy calmement et fermement.

— Madame était blanche comme une morte. Elle a besoin d'aide.

— Merci, Clift. Disposez.

Je sens de la colère dans le ton de Geoffroy. Il est malheureux, et cette cachotterie d'Emmanuelle l'accable. On dirait qu'elle pèse plus à ses épaules que les vingt-deux usines que lui a léguées Jubald. Il me regarde pour la première fois avec une espèce de sévérité et sa voix tremble comme celle d'un vieillard.

— Il faut que je vous parle, Hildegarde. Emmanuelle est malade et dangereusement malade. Ses yeux ne brillent jamais au bon moment. Si vous l'aviez vue à Rio ! Elle éclatait, elle se brisait et se reconstituait exactement comme une poupée mécanique. Elle riait quand il fallait pleurer, sanglotait quand il fallait rire. Sensible à tout, mais jamais sur la bonne corde. Je le jure, Hildegarde, je n'ai manqué ni de patience ni de déférence à Rio, et je n'ai pas abusé de sa douleur ni de son deuil. Les humiliations, les rebuffades, les coups de tonnerre, je les ai acceptés de bon cœur. Je comprenais qu'elle ne puisse souffrir et être heureuse en même temps !

Geoffroy verse le scotch, me donne un verre, m'approche un fauteuil. Mais lui reste debout, plein de cette patience désespérée que ses yeux mi-clos distillent interminablement. Comment peut-il garder ce calme et cette dignité ? Où puise-t-il la force de résister à l'envie de tout casser dans cette maison ?

— Depuis notre mariage, pas une fois je n'ai possédé ma femme. Je refuse de la violer ! Elle me provoque jusqu'au désir, puis se referme dans une sorte de rage. Je suis un homme, mais je ne la prendrai pas sans qu'elle se soit donnée. Emmanuelle ne m'appartient pas et elle n'a pas d'amant. Je ne sais pas quelle sorte de vie elle mène avec ses livres et ses papiers. Je ne sais plus quoi penser de votre fille, Hilda.

Je vois Geoffroy pour la première fois, blond, et cette peau de bronze tendre ; grand, et cette force de muscles et d'os en équilibre ; beau, et cette souffrance ignoble comme un châtiment.

— Je désire fouiller sa chambre, Geoffroy.

Qu'ai-je dit, mon Dieu, pour qu'il montre une si vive indignation ? Sa figure se décompose littéralement et ses yeux vrillent l'espace. J'ai le droit d'enquêter pour mon propre compte, j'ai le droit de commettre certaines indiscrétions si la santé de ma fille est en jeu. Il balbutie, misérablement :

— Vous m'avez dit qu'elle était enceinte.

Je ne parviens pas à soutenir son regard, le défi, l'interrogation, le doute qu'il contient, l'absurde espoir que je puisse éclaircir d'un mot ou d'un geste cet indéchiffrable mystère. Je sais que je soulagerais la conscience de Geo en lui montrant ma propre jeunesse, mais mon sang se rebiffe devant l'aveu, il me remplit la bouche d'amertume et d'un gargouillis informe. Pourquoi me sacrifierais-je encore une fois à cette fille qui m'a maudite au fond d'elle-même et condamnée à mort ? Geo ne sera pas délivré d'elle pour autant : elle nous tient tous par les cheveux et par les dents ! Elle n'est pas coupable, grands dieux ! elle est le mal en personne et n'a besoin ni des démons ni des anges pour accomplir sa destinée.

Geoffroy s'est enfin assis, son verre d'alcool tinte dans sa main. Pas de pitié, Seigneur ! Qu'en ferait-il, lui dont l'existence est un livre ouvert ? La disparition d'Emmanuelle, c'est du spectacle ! Comme sa poésie et, autrefois, cette interminable fugue autour du monde ! Ne quitte pas ton fauteuil, Geo, cramponne-toi. Il ne faut respirer que derrière le masque ; Emmanuelle ne doit pas se douter que nous sommes encore là, à portée de cœur, vulnérables et malheureux. Oh ! Jubald !

Soudain la voix mortifiée de Geo domine le silence :

— Pardonnez-moi de vous avoir énervée avec mes confidences, ce n'est pas grave. Je vais m'occuper de ma femme et tout va s'arranger.

Je me laisse docilement emmener. Je me laisse lâchement réduire au silence. Pourquoi le bonheur d'Emmanuelle dépendrait-il désormais de moi ? Pourquoi dépendrait-il de Geo ? J'avais un fils autrefois et le voilà devenu un homme sans que j'aie levé le petit doigt. Ma vie a pris fin en même temps que Jubald, écrabouillée sous les roues du même camion. Mon corps est futile puisqu'il n'y a plus d'âme dedans. Ne pourrais-je pas mourir maintenant, au bout de sa peine, au bout de mon sang ?

Aïda me déshabille, masse mon corps épuisé, courbaturé, anéanti. Elle me le rendra joyeusement meurtri par ses grandes mains fraternelles.

— Aïda, tu es mon salut !

Elle rit. Elle est noire et je suis son enfant. Elle m'aime et m'arrache aux griffes du deuil et de l'âge. Que faudrait-il inventer pour que cessent sa magie et sa vigilance ? Comment me détacher de l'arbre de ses bras feuillus ? Quoi qu'il advienne, elle ouvre mon enfance, y verse la liqueur verte de son œil jusqu'à ce que le sommeil descende dans son ventre et s'y love. Je suis bercée par de chaudes mains noires, par le rire sourd d'Aïda, par le roulis de ses poignets à travers ma chair. Je dormirai bien sûr avant que Geoffroy ait trouvé la paix et Emmanuelle, la lumière. Quand Aïda entre en transe, elle se met à fondre mais ne change jamais de couleur. Ni le ciel ni l'enfer n'ont le moindre effet sur le secret de sa peau.

— Oh ! Geoffroy, qu'arrive-t-il encore ?

Geo me secoue fortement aux épaules et bafouille :

— Emmanuelle est rentrée et pique une crise de nerfs ! Elle met tout à l'envers !

Y a-t-il une heure ou un siècle que je me suis endormie ? Jamais je n'ai sauté sur mes pieds aussi brutalement. Jamais je n'ai eu aussi peur de toute ma vie, devant le visage bouleversé de Geo, devant ses gestes incohérents traduisant l'impuissance qui le frappe devant Emmanuelle déchaînée.

Sa chambre est en désordre et elle est étendue en travers de son lit. Elle m'a entendue et m'apostrophe.

— Il a dit non ! Il a dit non !

Puis elle se dresse et se jette contre moi, creusant mon épaule de coups de tête brefs et durs, de coups de poing saccadés. Un indescriptible tapage sort de sa gorge : pleurs, cris, invectives, râles. Geo saisit ses poignets dans l'espoir de la calmer. D'un bloc elle se retourne vers lui, calme en effet mais dure comme un marbre.

— Oh toi, je ne veux plus te voir !

Il pâlit, lâche prise, se mord les lèvres. Je crois qu'il est parti, que tout le monde va partir, que seule Emmanuelle demeurera debout devant moi et moi devant elle.

— Qui a dit non, Emmanuelle, et non à quoi ?

— Il me demande de tuer mon enfant ! Morton prétend que mon bébé n'est pas viable. C'est lui que je tuerai, maman. Je veux mon enfant !

Elle m'a appelée maman d'une façon si effrayante et si irrésistible que mes bras se referment sur elle dans un mouvement profondément maternel et protecteur. Est-ce Emmanuelle ou moi, cette femme gonflée à éclater de colère et de refus ? Est-ce moi qui réclame à grand fracas l'avorton que la mort m'y dispute ? Qu'importe l'identité de cette souffrance ? je la connais, je l'accueille avec passion, je la ceins de mes deux bras inébranlables. Des pensées inconciliables vont de son cerveau au mien, s'entrechoquent, jouent ensemble pendant quelques secondes fulgurantes. À quoi peut bien servir un enfant, qu'il soit de moi ou d'une autre ? À rien, grands dieux ! à rien qu'à prendre Emmanuelle dans mes bras, à renifler son odeur, à nous tenir silencieusement l'une contre l'autre, à flairer nos visages et nos souffles, à mêler nos gémissements et l'haleine de nos sexes! Elle a les yeux brillants de larmes et d'épouvante et me fixe, les dents serrées.

— Je ne peux pas tuer cet enfant!

Qui s'obstine à parler de mort ici? Mon âme s'ouvre pour accueillir tous les orphelins du monde! Ne dis plus rien, Emmanuelle, un seul mot réveillerait la haine. Endors-toi sur le ventre, endors-toi dans mon ventre et retrouve la moiteur et l'indolence de la paix originelle. Ne me repousse pas surtout! Tu me trouveras à chaque tournant de ton mauvais rêve, prête à te tordre le cou, prête à t'enfanter une deuxième fois. Mère ou assassin, je serai telle que tu me choisiras.

À son tour Emmanuelle pille le grenier de la villa. Son sixième sens l'avertit de mettre son âme en ordre sans doute. J'ai fait porter à Malcolm Barrymore les principaux documents que j'ai découverts: journal, lettres de l'été d'Éléonore. Je n'ai pas encore décidé de l'usage que j'en ferai et je n'ai pas terminé mes recherches. Les révélations d'Emmanuelle m'ont bouleversée, mais le soupçon initial, la méfiance instinctive continuent de diriger mes actions, de les éclairer. Hier, j'ai donné rendez-vous au docteur Holt.

Malgré son moment d'abandon, Emmanuelle n'a pas dénoué l'énigme où Geo et moi nous débattons. Nous ne savons pas davantage qui est l'amant de ma fille ni pourquoi elle devrait renoncer à son enfant. Bientôt ce sera l'été. Éléonore ressuscite, plus belle et douloureuse que jamais, mais sa présence a le velouté des petites tulipes qu'Aïda a découvertes le long de la clôture. Elle ne fera pas de mal à une mouche, elle me fait redécouvrir Jubald à chaque pas. Même si Emmanuelle se tient prudemment à distance, je ne suis pas aussi seule que je le craignais.

Geoffroy aussi se rapproche de moi, sollicite mon attention avec humilité. Pendant les heures si longues où sa femme s'enferme et écrit, il se détend auprès de moi, donne un coup de main au jardinier. Plus elle s'encabane, plus il recherche le voisinage de l'eau, des arbres, de la route. Tenter d'entrer de force chez Emmanuelle, par la douceur ou la violence, nous l'avons essayé. Geo s'est ému, malgré l'injure, de savoir qu'elle porte un enfant. La mystérieuse aventure aura été si courte, si foudroyante, qu'elle n'aura laissé de traces que dans le ventre d'Emmanuelle. À travers les difficiles confidences de Geo, je discerne une infinie tendresse, semblable à celle dont Malcolm Barrymore nous entoure.

C'est Malcolm qui m'accompagne chez le docteur Holt.

— Oui, votre maladie est héréditaire, Mrs Elliott. Il faut m'envoyer Emmanuelle le plus tôt possible. Souvenez-vous que vous avez été fortement ébranlée par votre maternité.

Le cœur me monte à la gorge, j'ai honte de moi, je m'écœure. Je suis le bourreau de ma propre fille, je la plonge dans une confusion qui a commencé dans mes veines, pollue son sang et sans doute menace sa descendance ! Non, je n'attraperai pas Emmanuelle par les cheveux pour la livrer à sa bienveillance et à ses complaisances. Emmanuelle ne sera pas emprisonnée dans une de ses cellules de luxe. Mon ressentiment doit avoir de longues racines car il enfonce mes talons dans les tuiles des corridors, agace mes tempes de mille petites branches pointues. Holt est un beau vieillard à la voix espiègle, il passe sans dommages à travers ce buisson d'épines. Il rit, il examine son ouvrage à travers ma révolte et mon orgueil.

— Emmanuelle guérira. Vous êtes sa certitude et son avenir.

Malcolm serre mon coude, exprimant sa compassion en même temps que son espoir. Je reste seule à refuser la vision généreuse de ce qui attend cette femme et son enfant, ce duel, cette lassitude. Si Emmanuelle entre dans cet hôpital, elle signe un bail de douze années, de douze siècles peut-être. Non, non, nous en prendrons soin nous-mêmes, cher Docteur, nous veillerons sur elle. La villa des *Cygnes* contient assez de chambres pour qu'Emmanuelle y fasse son nid, et sa postérité avec !

— J'irai la chercher moi-même et nous la guérirons. Je vous demande seulement de me croire, de me faire confiance.

La foi, l'espérance, la charité ! Grands dieux, ne pourrait-on trouver autre chose, varier les sermons et les plans de cure ? Quand ajustera-t-on les mots à la situation ? On me dépouille. On m'isole. Je ne suis qu'un témoin désuet et désenchanté. Pourtant je me tue à expliquer que je refuse de pactiser avec le passé, avec ses bonzes et ses gendarmes. Après tout, ce n'est pas parce que la femme de Geoffroy s'est fait faire un enfant par un amant inconnu qu'elle a mérité l'exil. Cela n'explique rien, c'est un caractère fantasque et brillant. Lisez ses poèmes, Docteur, mais laissez-la tournoyer au-dessus du lac avec les grèbes et les cygnes. Dire que j'espère encore les convaincre !

— Parlons-en à Geoffroy d'abord, ne serait-ce que par politesse ! N'est-ce pas, Malcolm, que le dernier mot lui revient ?

— Geoffroy a donné son accord.

Les deux monstres me regardent, ils sont trois peut-être ? Que dirait Jubald, hein ? Jubald ! Ils sont quatre contre moi, une armée, toutes les phalanges du ciel et de l'enfer !

— Jubald vous a consenti cette chance autrefois, murmure Malcolm qui a lu dans mes pensées.

En effet, Jubald est de leur côté et sa sentinelle soudain se dresse entre Emmanuelle et moi.

5

Me voilà bien encadrée: Geoffroy à ma droite et Malcolm Barrymore à ma gauche. Je me marche peureusement sur les pieds, tout en m'étonnant d'avoir si complètement oublié ma vie d'hôpital. Peut-être y suis-je restée si longtemps que ces images se sont affadies, puis estompées comme les journées de pluie semblables les unes aux autres, également monotones et qu'on finit par confondre avec le mauvais temps. Il me semble impossible que puisse surgir, au bout de ces corridors où circule une puissante odeur de pharmacie, une Emmanuelle en tout point semblable à celle qu'on a emmenée de ma maison il y a quelques mois.

Geoffroy et Malcolm portent des complets gris charbon presque identiques. Mais cette incongruité ne me dérange plus depuis que je confonds leurs voix et leurs silhouettes. N'ai-je pas dû trop souvent tendre l'oreille pour surprendre leurs conversations secrètes? Ou épier leurs mouvements pour deviner leurs intentions?

— Emmanuelle a eu moins de chance que vous autrefois, mais elle est très courageuse, vous savez!

— Pourquoi lui faut-il tant de courage? crié-je avec trop de fébrilité.

— Sa petite fille est infirme.

— Infirme, docteur?

— Il lui manque une oreille et les bras. Emmanuelle a pris des médicaments douteux sans m'en parler.

— Une petite fille sans bras, une enfant qui n'entendra pas, ânonne Geo d'une voix blanche.

Il semble dépassé par l'ampleur du désastre, lui qui n'a même pas songé à se venger de la trahison de sa femme. Et moi j'oublie devant sa stupéfaction la colère qui me bouleverse.

— Son oreille gauche est saine, achève Morton étonné du peu de résistance que nous offrons, du peu de curiosité que nous manifestons.

Nous sommes à plat ventre devant la fatalité. Un horrible mutisme dévaste mon cerveau.

— Ces enfants arrivent à vivre? demande songeusement Geo, avec une pointe d'admiration dans la voix.

— Il le faut bien, répond Bill Morton sèchement, les sourcils relevés jusqu'au milieu du front.

Silence de caverne: la tentation de la mort nous assaille, la douleur nous change en statues. C'est Geoffroy qui le premier s'effondre dans un fauteuil et se met à grelotter comme s'il faisait tout à coup très froid. Malcolm forme un nid avec ses bras où je sombre et bêle pendant un moment sans même entendre ce que je dis.

— C'est une petite fille ravissante, dit Morton aimablement, avec un soupir qui en révèle long sur sa pensée.

Je m'aperçois dans le miroir du bureau de Morton, je touche aussitôt de mes deux mains cette face de papier mâché, comme on tâte prudemment les visages artificiels et bariolés des clowns.

— Je veux voir Emmanuelle, dis-je avec effort.

Sur le lit surélevé, Emmanuelle trône droite comme une princesse investie de gloire et de satisfaction. Quelle morgue dans ces prunelles pourtant lourdes d'une profonde lassitude ! Geoffroy la baise tranquillement au front. Il ne parle pas.

— Malcolm Barrymore ! s'écrie Emmanuelle, dans un élan aussi faux que puissant, embrassez-moi ! Qu'on fasse sonner les cloches et qu'on pavoise dans toute la ville à l'héritière de l'empire Elliott !

Elle retombe rudement sur son lit, frappée par la foudre. Personne ne la touche, on ne touche pas les êtres foudroyés, de crainte de les réduire en cendres. Mon instinct me dit que l'exil d'Emmanuelle dans les ténèbres de l'inconscience a pris fin, qu'elle a retrouvé dans ces décombres ce qui la tourmente et la sollicite depuis la mort de Jubald. Le flamboiement de son être intérieur s'est atténué : elle est à nouveau un être humain, une pauvre fille harcelée par son propre mystère. Comme elle me ressemble, Seigneur ! Ce n'était qu'un moment de faiblesse, un répit : elle se relève brusquement pour annoncer qu'elle a nommé son enfant Hedwige. Geoffroy l'écoute avec un sang-froid admirable, il redevient le complice qu'il a toujours été pour elle, le frère absurdement désintéressé. Une rage sourde monte en moi : vont-ils s'allier tous les deux pour laisser vivre leur monstre, pour m'en mettre plein les bras et les yeux ! Quand on n'est pas capable de faire convenablement des enfants, ne faudrait-il pas s'abstenir ? Je me mets à crier et ils me toisent tous avec autant d'étonnement que de réprobation. Personne n'a songé qu'il s'agit de ma lignée, de ma maison, de mon avenir autant que des leurs ! Personne ne pense à moi !

— Nous garderons Hedwige si Emmanuelle le désire, déclare Geoffroy si humblement que j'en reste bouche bée.

Notre entente, notre amitié des derniers mois tombent en poussière. Elle va me les reprendre tous l'un après l'autre, son mari, son médecin, Malcolm même qui m'entraîne hors de cette chambre pour la protéger, elle, de mes cris et de mes larmes. Ils sont aux petits soins avec elle, ils ménagent ses forces, ses nerfs, son cœur et ses tripes. Et les miens, grands dieux, que vont-ils en faire, de la charpie, du ragoût, de la marmelade ? Ils ne voient donc pas qu'elle nous mène droit à l'enfer, chargée de tant de malédictions que toute autre qu'elle en eût été pulvérisée ! Ils sont sourds, aveugles, muets, ou d'infâmes comédiens ont pris leur place.

Oui, c'est cela. Je suis entrée par inadvertance dans un film d'horreur et c'est le docteur Holt qui me pilote à travers ce fouillis, qui me donne sa main métallique pour me soutenir. Il me déplace comme une automate, une bête féroce de clinquant, et les masques monstrueux apparaissent et disparaissent au gré de ses simagrées, de ses tours de passe-passe. Il me connaît trop bien et depuis trop longtemps pour être inoffensif.

— Toutes ces émotions sont mauvaises pour vous, Hilda. Partez en voyage, en croisière, allez où vous voudrez. À votre retour, tout ira mieux. Me Barrymore vous accompagnera, tâchez d'être heureuse, mon petit, ne revenez pas avant.

On n'a besoin que d'une femme heureuse ici... Oui, partir, c'est une excellente idée, trouver le bonheur, quel programme ! Grands dieux, que la médecine a progressé ! Elle vous envoie à coups de pied à la recherche du bonheur, elle vous divertit, elle vous occupe. Comme pour l'œuf de Colomb, il suffisait d'y penser ! La thérapie par l'illusion, quoi ! Alex Holt m'abandonne à Malcolm Barrymore qui se tait. Ah ! fermer les yeux et ne plus rien savoir de cet hôpital ! Fermer mon âme et ne plus comploter contre moi-même. Rejoindre Jubald dans quelque repli de mémoire où il se dissout imperceptiblement et répand une petite odeur fade. Peut-être le bonheur commence-t-il à la limite où cette odeur se dissipe tout simplement?

Soudain, Malcolm Barrymore me soulève sur l'axe de ses bras, il est contre moi, une fièvre allume sa bouche. Je défaille de soif et de plaisir sous sa bouche trop chaude. Emportée instantanément, je rends âprement caresse pour caresse, désir pour désir. Quelle stupéfiante habileté possèdent ce corps proche à en mourir, cette âme qui affleure en une sueur rouge à mes lèvres rouillées. Le précipice de la bouche, les sources sombres des yeux, la sournoise chaleur des paumes, me rendent brutalement Jubald, ou m'en dépouillent si irrésistiblement que je ne songe pas à protester, à protéger mon corps et mon cœur. Me voilà prête à mettre les voiles pour le bout du monde, à précipiter cette quête du bonheur que j'avais considérée d'un peu trop haut. Rien de tel que de retomber sur ses pieds pour prendre la mesure des choses.

Je ne sais pas si j'ai prémédité d'apporter certaines lettres en croisière — pour les faire lire à Malcolm, par exemple — ou si elles se sont retrouvées accidentellement dans mes bagages. Peu importe, elles m'accompagnent et il m'arrive d'en froisser nerveusement le papier. Pourtant j'ai de quoi m'occuper avec les confidences tardives de Me Barrymore, son amour refoulé pendant des années, la passion franche et généreuse qu'il me voue désormais. Qu'il soit demeuré célibataire par fidélité à cet amour de jeunesse devrait m'émouvoir intensément, mais je ne suis pas émue outre mesure. Malcolm occupe mes sens d'une façon si totale depuis notre premier échange de baisers que je ne lui demande pas davantage ; peut-être suis-je incapable de recevoir davantage ? Une éclipse de Jubald n'est possible que dans ces transports physiques dont sa mort m'avait écartée. J'assiste à la redoutable renaissance de ma jeunesse. Je croyais avoir vieilli, je croyais que mon échine desséchée avait renoncé aux enfantillages de la chair. Et voilà que je m'engourdis à nouveau dans l'ombre d'un homme, que je m'endors dans son sexe. Mais je ne suis pas plus calme qu'un fauve en hibernage. Je ne suis pas plus simple que la langue des étourneaux. La mer trop soyeuse et trop bleue de Grèce glisse sous nos yeux mi-clos, en dérive avec ses îles. Ne suis-je pas embarquée pour Cythère ? Et Malcolm Barrymore n'est-il pas Zeus lui-même peint en bronze et fixé à la proue de notre navire ? Ô égoïsme dérisoire ! On se lasse de la beauté, on se méfie du bonheur, on a certaines traîtrises dans le sang. Alors j'ai traîné dans mes bagages des lettres d'Emmanuelle que je parcours sous le soleil de Mycènes, les lèvres pincées, la larme à l'œil.

— Qu'est-ce que tu lis ?

Je tends à Malcolm les feuillets à frange turquoise. « Je ne l'aime pas comme un père, je le veux pour amant. » Cette phrase, Gertrude ne l'a peut-être pas lue. Cette lettre n'est peut-être jamais sortie de la chambre de la petite fille qui se jouait la tragédie. Mais mon doute fait partie désormais de la réalité, une prémonition m'assaille lorsque je pense à elle, à son amour sans mesure pour Jubald. Qui d'elle ou de moi le tenait sous son emprise? Quel sauvage combat ai-je inconsciemment livré pour le garder?

— Hilda, pourquoi ne détruis-tu pas tout cela? murmure Malcolm avec douceur.

Je lui arrache violemment la lettre. Je ne lui pardonne pas tout de suite de ne pas montrer de l'indignation ou du mépris, quelque chose enfin qui me venge d'avoir été bafouée par ma fille. Malcolm se contente de rester impassible, d'empêcher le ton de monter, de ne pas donner de corde à ce qui se déchaîne et déferle en moi, de ne pas se laisser éclabousser quand je remue de la boue. Il ne veut pas qu'on nous montre du doigt. Moi non plus je ne le veux pas. J'ai autant que lui horreur de la curiosité humaine, de cette étrange et futile convoitise qui nous entoure et nous gruge, parfois même de l'intérieur. Mais je n'abandonne pas tout espoir d'être moi-même un jour et d'écarter les obstacles jetés sur mon chemin avec une telle désinvolture. J'écoute les projets de mariage de Me Barrymore avec reconnaissance et plus encore avec désarroi. Il lèchera mes plaies et flairera mes ennemis. Il a tant de bonté en réserve que je n'ai qu'à tendre la main et à accepter ses largesses. Je ne vaux pas mieux que ma fille, si je me fais bien comprendre.

— Rentrons, Malcolm, nous n'avons plus rien à faire ici. C'est aux *Cygnes* que ma vie se passe ! Prenons l'avion et rentrons !

— Patience, tu ne te laisses pas le temps de guérir.

— Guérir ! Guérir ! Je ne suis pas malade, je suis un oiseau de malheur en pleine santé, en grande forme ! Regarde-moi !

Malcolm serre très fort ma main dans la sienne et le courant passe. Il connaît son pouvoir, il m'arrache à petits points la résignation qu'il entend que j'acquière. Il concocte un cocktail verbal qui me berce et m'enchante littéralement. Je déteste tomber dans le piège mais je m'y retrouve chaque fois plus démunie et vulnérable. Mais l'amour de Malcolm est un leurre pour lui plus encore que pour moi, car à moi, l'amour a déjà donné une fille et une petite-fille dont l'existence me hante. Malcolm est seul comme un dieu et sa jeunesse est éternelle. Il ne fait pas attention à mes rides naissantes mais il sera bien obligé de les voir quand elles sillonneront ma face. En attendant, sa patience et sa douceur enveloppent la Grèce d'un voile bleu et, derrière ce voile, des monstres grouillent en agitant les grelots de toutes ces oreilles que Hedwige ne possédera jamais, en ouvrant narquoisement des mains et des bras tendus vers le néant. Un artiste barbare chante avec langueur des paroles étrangères qui ne nous sont certainement pas destinées. Son chant m'absorbe et me gêne, chaque syllabe rauque et drue évoque je ne sais quel visage, peut-être celui d'Éléonore flottant à la surface du lac des *Cygnes*, pétrifié par le souvenir.

Me rappellerai-je ce voyage éperdument ensoleillé, le corps limpide de Malcolm Barrymore et les perfides papiers qui colportent de l'autre bout du monde les signaux de détresse d'Emmanuelle ? Il reste si peu d'âme dans le corps que je donne à Malcolm qu'il n'en a pas pour chacune de ses grandes mains creuses. Pas une plainte ne franchit sa gorge pourtant, il s'est juré de mater le destin lui-même et rien ne le convaincra de ma mauvaise volonté. Pour lui Jubald est bien mort et il arrache un à un les fils qui m'accrochent à lui. Je sais cependant que perdure le lien premier et définitif, invisible sous les agaceries et les tricheries de la mémoire. Plus vite nous rentrerons, plus aisément je céderai au désir austère et enfantin de Malcolm de me passer une bague au doigt et la corde au cou. Donnant donnant, nous rentrons et j'épouse qui il voudra, cela n'a pas la moindre importance, nous ferons route à trois. Cela ne veut rien dire, le passé ne parle pas, le passé est une brute silencieuse.

Oui, je m'ennuie de l'hiver des *Cygnes,* des bonshommes de neige qu'on y dressait autrefois et des grands feux de bois dans la cheminée. Faisons sonner les cloches, marions-nous en Grèce ou à Florence, il y a des églises et des popes partout. Pourquoi attendre si cet anneau magique me ramène rue des Vasques ? De la magie, Me Barrymore ! De la prestidigitation ! Commandons le tapis volant, et que ça saute !

Échapper aux artifices des mirages et des distances, oui ! Boire d'une seule lampée la mer Égée ! Qu'est-ce qui pourrait bien nous résister, hein ? La main dans la main, dévaler ces continents civilisés, hérissés de pics et de tours ; franchir les villes contaminées au passage par Emmanuelle autrefois ; lire son nom partout dans les encoignures sombres et sur les banderoles de nuages ! Malcolm ne sait pas ce qu'il fait, dieu merci, aucun être sur cette planète ne sait ce qu'il fait s'il se laisse respirer et vivre. Je ne veux rien savoir moi non plus, rien que revenir inlassablement au commencement du monde, et prendre racine dans le corps ingrat de la terre. Qui m'aime me suive !

J'ai gagné mon point et je crois que Malcolm lui-même en avait assez de l'inertie où cette croisière le confine, du ciel impeccablement bleu, du rythme languissant de notre vaisseau-fantôme. Nous descendons dans le port d'Athènes et filons à l'aéroport, rafraîchis, rajeunis, guéris admirablement par la cure d'Alex Holt. Je ne me rendais pas compte qu'il y avait autant d'air à respirer, que la qualité de cet oxygène suffit largement à ma consommation ! Tous ces visages radieux qui m'entourent enfin ! Je ne distingue peut-être que ceux qui sourient en éliminant égoïstement les autres, mais l'effet est indubitablement bénéfique sur mes nerfs. On me l'a assez répété : le secret du bonheur réside dans l'harmonie de l'être avec ce qui l'entoure. Je n'ai rien contre le bonheur après tout, je ne crache pas dessus, je ne l'écarte pas du revers de la main ! Malcolm Barrymore a fait le tour de mon corps et on peut compter sur lui pour le maintien de l'ordre et de la paix.

6

Le profond sommeil de Hedwige m'a prise aux reins, à la gorge, au ventre. Un bonnet de dentelle dissimule l'infirmité de sa tête. Un joli vêtement fait oublier l'absence de bras. Mais Morton avait raison : c'est une enfant ravissante au visage charmant. Tandis que je m'extasie malgré moi et le cœur serré, une forme blanche glisse à ma hauteur.

— Je suis Mercédès, la bonne et l'infirmière de votre petite-fille.

— Je rentre de voyage. Excusez-moi, je ne pensais pas vous réveiller.

— Ce n'est rien, je ne dors que d'un œil depuis que j'exerce ce métier.

Ce chuchotis me bouleverse, et le vêtement de la jeune femme fait un bruit de soie qui m'émeut. Je me rassure lentement, mais je crois que si cette chambre n'avait pas été ouverte, je l'aurais enfoncée. Depuis notre arrivée à l'aéroport, je n'avais qu'elle en tête et le besoin obsessif de vérifier son existence. J'ai déjà rêvé tant de choses que ce n'est pas sorcier d'inventer une minuscule Hedwige alors qu'on se languit à Rhodes ou à Corfou...

Sans doute Bill Morton est-il d'abord étonné de recevoir une cliente de mon âge. Tout dans ce bureau est conçu en fonction de la maternité, et je me suis annoncée sous de fausses représentations: madame Malcolm Barrymore n'a rien à voir avec celle qui prend place perfidement dans un des fauteuils de velours fraise. Elle n'a rien à partager avec les autres visiteuses au ventre proéminent et au visage encore enfantin.

— Ma vie est devenue impossible, docteur Morton, dirai-je à bout portant.

Je ferme les yeux, je scrute les mots de Geoffroy qui hantent mon esprit:

— Vous n'avez pas cru un instant que je connais le père de Hedwige! Quelle curieuse opinion vous avez de moi!

— Mais qui me dira son nom?

Il hausse les épaules, il boucle sa serviette, il avale une dernière gorgée de café noir.

— Demandez-le à Emmanuelle!

Il endosse sa pelisse, il sonne le chauffeur, il sort. Il ne connaît pas cet homme et se demande bien pourquoi il m'intéresse.

Bill Morton, lui aussi, reste insensible à mes jérémiades; mes doléances ne lui tirent pas un soupir, pas un encouragement.

— Puis-je voir le dossier de ma fille et celui de ma petite-fille, s'il vous plaît ? demandé-je d'un ton glacial et sans réplique.

Il se lève et consulte son fichier, revient avec les dossiers. Il tourne les feuillets, lit leurs cryptogrammes sans se hâter ; il est jeune et sa tête penchée lui confère une espèce de beauté triste qui me frappe tout à coup comme une apparition de rêve.

— Je répondrai à vos questions, Madame.

— Hedwige... Pourquoi Hedwige est-elle infirme ? Est-ce à cause de ma maladie passée ?

— Laquelle ?

— J'ai été internée chez le docteur Alex Holt pendant douze ans, vous le savez bien !

— Cette maladie n'a rien à voir avec l'état de l'enfant. Emmanuelle a utilisé des drogues douteuses ; ne vous l'ai-je pas déjà dit ?

— Qui est le père ? Ne vous l'a-t-elle pas dit ?

— Cet homme est mort, répond-il avec une moue qui classe l'affaire.

J'adopte le même ton froid et choquant qu'il emploie avec moi. Il me semble qu'il me regarde de haut, qu'il réduit mon intérêt à une méprisable curiosité, qu'il me juge au-delà de ses fonctions. Moi qui ai tant besoin d'alliés pour remporter cette bataille, je ne parviens pas à gagner sa confiance, à émouvoir sa conscience. Comme Geoffroy, il m'abandonne à mes tribulations et personne n'ose supposer que je m'attache sincèrement à Hedwige, que j'aime Emmanuelle et donnerais le monde pour elles. Tant pis, je reprendrai mes incursions dans les carnets d'Emmanuelle.

15 janvier

« Cela se passera dans cette chambre d'hôtel où il a promis de me retrouver. J'ai cru bon de l'intimider pour qu'il ne puisse pas se défiler : un vrai cri du cœur !

— Je m'empoisonne si tu ne viens pas.

— Ne menace pas inutilement, j'ai promis de t'écouter !

Il s'est montré un peu nerveux et impatient, il n'est pas habitué à se laisser conduire par le bout du nez, je le comprends, mais je suis forcée d'agir vite. Le piège se resserre sur moi, des dates fatidiques s'inscrivent sur le calendrier, à la queue leu leu. C'est à moi seule de défendre mon âme, je ne le sais que trop ; je ne lésine pas sur les moyens, je ne m'attaque pas à plus petit que moi, au contraire. Cette chambre historique, je l'ai voulue semblable aux salles exotiques baignées de parfums et d'alcools explosifs. C'est un reste de romantisme de mauvais goût : je veux lui imposer l'image de sa fille amante amoureuse — et non le souvenir de l'enfant à la licorne. Je ne suis pas aussi brave que j'en ai l'air, mais une certaine dose de cyanure m'attend dans la salle de bains en cas d'échec. Une drogue qui tue, mais je serai morte avant si Jubald résiste à la concoction toute spéciale que je lui destine ! Je ne survivrai pas à mon amour.

Jubald fait lentement le tour de la suite, examine les lieux et les objets — oui, oui, « tout est luxe, calme et volupté », tel que prescrit par l'aimable et répugnant Baudelaire.

— Tu veux boire un apéritif ?

— En signe de réconciliation, d'accord !

Il a souri avec sa séduction habituelle, l'enfant gâtée se laissera prendre au charme de l'homme du monde. Il a souri et accepté le vermouth par quoi commencera sa remontée des enfers. J'attends qu'il parle le premier, il a certainement retourné sur tous les sens cette histoire de meurtre que je lui ai racontée au bureau. Ce n'est pas la drogue mêlée au vermouth qui lui embrouillera les idées ; au contraire elle lui aidera à les rattraper à gauche et à droite, à consolider cet étrange fonds de pensées où il ne puise qu'en dernier recours. Voici d'ailleurs le temps des aveux qui brûlent, des jeux de précision, la minute de vérité. Je m'agenouille à ses pieds comme on le fait pour un dieu, mon ivresse est plus vive et intolérable que la sienne. Son regard enfin s'égare, des trombes de lumière en jaillissent : la métamorphose de nos êtres commence. Je suis réellement la femme qu'il devine sous ma peau, celle que ses mains tremblantes cherchent dans la clarté aiguë des lampes. Un mouvement hypnotique nous rapproche, nous emmêle soudain, nous résorbe l'un dans l'autre. Je n'existe plus dès l'instant où il me touche, je disparais en lui, je suis rayée de la surface de la terre! À quoi servirait l'amour sinon à cela?

Il s'est éveillé en sursaut et m'a vue à côté de lui. Je lui ai souri à l'aveuglette et un gémissement douloureux a rempli la chambre inondée des lumières des lampes que nous n'avons pas éteintes avant de sombrer dans le sommeil. D'un geste mécanique, il a pressé le bouton qui a plongé la chambre dans l'obscurité. Une voix malade est sortie de son oreiller:

— Rentre à la maison, fais vite, je t'en supplie.

C'est une voix extraordinairement douce. J'obéis allégrement: je m'habille, je quémande un baiser d'adieu, un sang neuf bouillonne dans mes veines. Je n'ai qu'à rentrer par la grande porte qu'on ne ferme jamais, qu'à me glisser heureuse dans mon lit, sans que personne me voie. Je l'ai promis à Jubald et je tiens toujours parole... »

16 janvier

« Jubald a été heurté par un fourgon ce matin. Jubald est mort. Mr Elliott, rapporte-t-on, s'est jeté devant un fourgon, à l'aube. Il est mort instantanément, comme il a choisi de le faire, ayant attendu l'irruption du fourgon postal avec patience et fermeté, en pleine possession de ses facultés. Il est mort en citoyen éminent qui en avait par-dessus la tête des tabous et des préjugés. Du moins est-ce ma version des faits. J'ai un goût de vermouth rouge sur la langue et le sang de Jupiter court dans mon âme : que pourrais-je demander de plus ?... »

On dirait qu'Emmanuelle me livre elle-même les papiers que je cherchais. Je n'ai eu qu'à forcer les serrures de son bonheur-du-jour pour découvrir les cahiers de son journal de bord. Horreur et colère m'assaillent violemment, j'ai dû m'évanouir plusieurs fois durant ma lecture. Le moindre bruit m'épouvante d'ailleurs. Je glisse furtivement le cahier entre sommier et matelas et feins de ranger la chambre et d'arroser les cactus qui ornent sa fenêtre.

Le serrurier est venu très tôt réparer les dégâts que j'ai fait subir aux tiroirs. Il m'a remis des clefs conformes à cette serrure et je peux déplacer à mon gré tous les documents dont j'ai besoin. Le mystère dévoilé continue de m'effrayer, mais j'ai le sentiment de conduire les événements au lieu de les éviter. Je ne réalise pas qu'un drame s'est joué en mon absence et que ses protagonistes m'ont volontairement écartée de sa conclusion. La conduite d'Emmanuelle mérite réflexion, l'injure qu'elle m'a infligée m'oblige à lui rendre le mal pour le mal : ce jugement sommaire obnubile mes facultés d'analyse et d'intelligence. Qu'une mère soit forcée de haïr son enfant n'est-il pas odieux ? J'étais née pour l'amour, moi ; est-ce pour cela qu'on m'impose trahison sur trahison? Les caresses de Malcolm Barrymore cachent-elles le même poison? Devrai-je éternellement retourner à la nuit pour ne pas succomber aux pièges de la lumière? Je n'ai rien donné à personne! Grands dieux, qu'avais-je à distribuer sinon des jours d'absence et cette poussière répandue comme la lèpre sur une planète surpeuplée? J'oubliais l'illusion! Qu'est-ce que le corps, qu'est-ce que l'esprit, sinon des leurres communs, des embuscades où la vie s'enfarge? Haïr Emmanuelle, est-ce aussi simple que je le crois? Pourquoi alors ne pas englober dans ce ressentiment toutes les femmes de tous les temps? La haine devrait rassembler la totalité des êtres, les engouffrer sous son aile absolue, éviter la torture du choix. Je les hais toutes ou je n'en hais aucune.

Suis-je capable de haine, moi? Je me suis prise pour une âme forte mais la moitié d'Emmanuelle suffit à me renverser, une seule de ses larmes ferait déborder mon cœur! J'ai survécu à mon amour, moi! Je l'ai remplacé à la première occasion et le confort de la chair m'a fait ouvrir mon lit à Malcolm Barrymore. Pour Alex Holt, c'est un signe de santé. Fi de la santé! foin des explications, de la ratiocination! Je pourrais haïr Emmanuelle parce qu'elle m'a donné une irréparable leçon d'amour, c'est tout!

Elle est revenue à la maison ce matin sous les yeux stupéfaits d'Olga qui espérait bien ne jamais la revoir. Elle ne prend pourtant pas beaucoup de place. Elle se promène entre les meubles, avec un calme étourdissant. Elle paraît plus efflanquée et morose quand elle tient sa fille coupée sur un bras. Elle poursuit un intense monologue intérieur que la parole ne livre à personne. Elle ne nous remarque pas dans le décor, elle ne nous cherche pas non plus. Le docteur Holt la visite de temps à autre et la flagelle de fouets invisibles. Elle prend peur et le défie en lui refusant comme à nous l'accès à ses appartements. Geoffroy s'est installé à l'autre bout de la maison et redevient lentement un étranger. Il se résigne ou attend le miracle, mais il m'évite et les repas quotidiens, surtout le dîner qui nous réunit tous, constituent une épreuve vraiment difficile. Heureusement Mercédès a toujours quelque surprise à nous communiquer à propos du bébé et Emmanuelle ne dédaigne pas de l'écouter. Je la vois lutter pour aimer son enfant, pour s'intéresser à son sort. Je la vois repousser l'échéance d'une possible séparation. Jamais elle n'aura été et ne sera aussi belle que présentement, à la minute oppressante où ses énergies se concentrent sur ce désir fuyant, cet élan liquide, envers Hedwige.

Quand je ne peux plus supporter sa vue et que je suffoque sous la répulsion que ses crimes m'inspirent, c'est à mon tour de serrer les dents, d'imaginer une vengeance naturelle pour expier son existence. Mais c'est évident que ce genre de souhaits ne règle rien et ne mène nulle part.

Notre belle maison, Jubald, nous pèse aux épaules, elle nous isole, elle nous emprisonne. Je ne reconnais pas son rythme et ses jeux de lumière et je ne pense même plus à regarder par la bay-window la ville accrochée de toutes ses griffes à la rue des Vasques. Mes servantes se traînent les pieds et je retiens mon souffle comme si c'était le dernier. Le temps s'arrête au passage d'Emmanuelle et je voudrais avoir le courage de m'enfuir, nue comme Ève et lavée de tout soupçon.

Suis-je en train de mourir? Est-ce pour se raccrocher à la vie qu'Emmanuelle se raconte depuis des années des histoires de meurtre et de jalousie? Jubald a refusé de la croire, je le sens. Il l'a écoutée et il a tenté de payer une dette d'honneur envers elle, il a été une dupe facile, tandis que moi je continue à protester, à lutter contre la séduction qu'elle exerce sur nous. J'amasse des preuves contre elle! Je lui ai volé tous les papiers que j'ai pu, je peux entrer en action à n'importe quel moment, sous une impulsion moins contrôlée que les autres.

— Tu devrais jeter tout ça, commente Malcolm avec une inintelligible désinvolture.

Il balaie «tout ça» du revers de la main, il a la tête ailleurs, il se moque des élucubrations d'une fille pas assez délurée pour se débarrasser de sa virginité quand l'occasion se présente. Ses propos m'étonnent, ses remarques m'agacent, quelque chose en eux me blesse profondément comme si les sentiments aigus d'Emmanuelle dépendaient d'une démangeaison du clitoris, comme si l'amour n'existait pas. Mais je ne réponds pas à Me Barrymore dont les arguments reposent sur une expérience de cour d'assises ; j'interroge les confidences d'une fille pour qui l'amour fut absolu. Quelle traîtrise du cœur me précipite dans son enfer ? « Deep magic ! mon âme tourne échevelée, elle bondit de fraction de seconde en éclat de vitre et me ferme l'œil. »* Oui, Emmanuelle, oui, et cette âme continuera de t'aveugler, de te déchirer, de t'en faire voir de toutes les couleurs !

Je voudrais pourtant me reposer un peu, cesser de flairer des fantômes dans les plinthes et les tentures, pour tout dire je raserais l'étage maudit où les trottinements de Mercédès effraient Aïda la nuit, où les pleurs de Hedwige sont des cris d'oiseau affamé. Il y a trop d'ennui dans cette maison, on n'ose même plus parler à haute voix, tousser, ouvrir une fenêtre. On n'ose pas grincer des dents, pourtant ce n'est pas l'envie qui manque. L'ennui suinte, il traîne sur son corps de ces ignobles bêtes qu'Emmanuelle élevait pour ses excursions de pêche : des sangsues ! Oui, des sangsues, plein les murs et les tapis ! Emmanuelle connaissait tout sur ces animaux qui me font frissonner chaque fois qu'il pleut, chaque fois que le ciel amasse de la grisaille ! Elle pêchait l'omble à plein panier, adroite comme la petite garce qu'elle était, merveilleusement épanouie tandis qu'elle et Geo faisaient

---

* *Deep Magic,* p. 77.

frire les poissons sur le gril extérieur. Ils étaient peut-être heureux alors... Peut-être ont-ils laissé passer leur unique chance de l'être ?

Malcolm Barrymore rentrera tard, il rentre très tard et je m'ennuie et je trouve raisonnable de m'ennuyer dans ces conditions.

7

Geoffroy ne m'écoute guère si je lui parle ou tente de lui parler d'Emmanuelle, et l'inverse semble vrai. Encore une fois ils sont de connivence, cette fois pour établir et respecter des distances entre eux. Il fallait s'y attendre : ni l'un ni l'autre ne tolère la plus petite allusion à son intimité, le plus léger avertissement, ni même les encouragements discrets de Malcolm Barrymore. Pour eux d'ailleurs, Malcolm est demeuré un parfait étranger qu'ils traitent avec une superbe indifférence.

Mais il y a quelqu'un qui prend forme dans chacun des gestes de Geoffroy, quelqu'un qui prend lumière dans chacun de ses regards. Sans trop m'en rendre compte, je me suis mise à l'épier. Je me suis oubliée à le filer dans la maison trop spacieuse. Sous prétexte de visite à l'enfant je m'introduis dans les appartements de l'étage, au début du moins, sans me rendre compte de ma curiosité alertée par je ne sais quel instinct. Je berce Hedwige sur mes bras saisis de paralysie, étonnée de la douceur de cette vie minuscule, parfaitement articulée. Sortant chaque fois du silence, Mercédès apparaît, me prend Hedwige avec adresse et autorité.

— C'est une enfant bien mignonne, ne trouvez-vous pas ?

Elle a raison. Les traits de ce visage enfantin relèvent d'un dessin admirable, d'une finesse et d'une pureté incomparables : elle ressemble à Jubald.

Ce matin toutefois, c'est Mercédès qui s'impose à la contemplation : elle descend le fleuve de l'étage dans les vagues sensuelles de son peignoir de soie. Elle ne me voit pas puisque la tenture absorbe ma présence, chair et souffle, et que sa pensée ne lui appartient plus. Au pied de l'escalier, Geoffroy au guet attend que s'ouvrent les hésitations de l'aube et de la prudence : il la prend dans ses bras — est-ce ainsi qu'il tenait Emmanuelle ? — il la baise et l'effleure. Elle sortira de cette opération rose orange et la bouche gourmande, ses seins flottant à la lisière du vêtement ouvert. Comment supporter sans défaillir les gestes d'amour et les variations de la lumière sur son visage, surtout sur la bouche qui s'offre à travers l'étreinte qui se prolonge ? Elle ne défaille pas pourtant, elle ne cache même pas l'abandon évident de son corps ; un tel spectacle n'a pas à être dérobé, même aux regards des domestiques, même à la triste fascination de mon âme. Tous les matins, si je le veux, j'assisterai au spectacle : c'est ainsi qu'ils se séparent et se quittent tous les jours pour vaquer à leurs occupations et préparer leurs retrouvailles au bord de la nuit.

Emmanuelle ne publiera plus jamais ses poèmes, en Angleterre ni ailleurs. Je me demande méchamment si les amours de Geoffroy l'intéressent, si le moment d'une vengeance n'est pas arrivé pour moi, sans que je l'aie manigancée moi-même, donc au-dessus de tout remords. Peut-être cette occasion se présente-t-elle trop tard pour distraire Emmanuelle de son intense hivernage ? Avec elle aucune réponse ne convainc, aucune ne dure. Aucune ne m'offre un abri, ni même un quelconque alibi contre elle. Le cauchemar continue, peuplé tout à coup d'êtres radieux qui ont emprunté subrepticement des corps familiers dans ma propre maison. Que la lumière soit ! Et la lumière jaillit d'une aube brouillée de neige, de l'obscurité du vestibule, des pauvres cris de Hedwige effrayée qu'une étrangère nourrit, soigne et console ! De quelque côté que je me tourne, je ne vois rien venir...

Mais j'admire le dévouement de Mercédès. Geoffroy repousse Hedwige avec un certain dégoût, mais elle referme sur cette enfant dépareillée des bras profonds et sereins. Grâce à elle l'orpheline échappe à la fatalité qu'Emmanuelle attire sur elle, inlassablement. Alex Holt, après chaque visite réglementaire, s'entretient avec Geoffroy à huis clos, lui donne une tape sur l'épaule en guise d'encouragement et s'en va sans demander son reste. Il a commencé à ergoter sur un changement d'air, sur quelque escapade en Floride ou en Californie. Pourquoi pas le Pérou, hein ? Mais Emmanuelle s'oppose furieusement à toute suggestion de cet ordre. En réaction elle couvera son bébé pendant trois jours, sans boire ni manger, puis, le danger écarté, retournera jongler dans sa chambre.

Elle a encore une fois réussi à m'amadouer, à m'en mettre plein les yeux, assez pour que je m'en prenne à Geo avec une certaine aigreur.

— Pourquoi tromper Emmanuelle qui a tant besoin de ton affection ?

— Vous divaguez, Hildegarde, Emmanuelle n'a besoin de personne et je ne la trompe pas !

L'exemple de la fidélité de Jubald ne réussit qu'à l'exaspérer. Je le tourmente inutilement, je retourne stupidement le fer dans la plaie. Peut-être ai-je très envie qu'il sorte de ses gonds, qu'un ouragan emporte cette maison et ses terribles occupants ? Sans baisser les yeux, il réfléchit avec force et marmonne entre ses dents :

— Elle ne m'a jamais rien donné, pas même à Rio, pas même l'aumône d'une quelconque nuit de noces ! Jubald avait un enfant de vous quand il vous a perdue. Il pouvait attendre, il pouvait espérer et se défendre contre ses envahisseurs. Mais ne craignez rien, je ne vous scandaliserai plus : je quitte votre toit.

Le voilà redevenu homme d'affaires. Il cueille son manteau, ses gants, ses clés, son porte-documents. Il rassemble sa personnalité intacte, recoud son inébranlable univers. Je m'enfuis veulement tandis que Mercédès s'occupe de lui, peut-être pour les laisser en paix avec leur amour enveloppé de silence et d'ombre, leur amour interrompu à toute heure par les exigences de Hedwige ou les explosions d'Emmanuelle. Peut-être aurai-je un jour pitié d'eux, de leur jeunesse fraudée par le destin. Peut-être, mais pas aujourd'hui. Car j'entends geindre Emmanuelle derrière les murs. Je l'écoute mourir à bout d'âme, de terreur, le souffle rauque et parfois sifflant d'une manière si horrible que je voudrais l'achever brutalement. Elle n'a jamais aimé que Jubald. Je parcours inlassablement son journal, je retourne trois, cinq ou dix années en arrière épiant la croissance de son obsession. Peut-être dois-je à la présence de Malcolm la possibilité pour moi de lire ces confidences lamentables avec sérénité. Ma haine se résorbe et sans doute m'éveillerai-je un de ces matins mère à part entière de cette fille prodigue, déchirée par l'ambition naïve de vivre jusqu'au bout son grand amour ?

Halte ! Je n'en suis pas là ! Je rôde vilainement aux trousses de Geoffroy ou de Mercédès. Je reviens plusieurs fois par jour au pied du berceau de Hedwige. Il m'arrive, oui ! de défaire les nœuds de son bonnet de linon et de me rassasier cruellement de la hideur de la tête privée d'une oreille. Un bouton de chair rose remplace l'organe absent. Si Mercédès me surprend à rêver devant la petite tête découverte, elle rhabille l'enfant sans rien dire, mais je devine sa colère. On dirait qu'elle aime Hedwige, pour autant que je sache ce que c'est que d'aimer un enfant. Elle ne la cajole pas, mais la respecte. Quand je n'ai pas cédé à la tentation de ruminer de mauvaises pensées, Mercédès se montre très douce et évoque avec candeur les miracles de métal et de patience qui rendront des membres à l'enfant. Elle parle aussi de la chance que nous ayons eu une fille: ses cheveux pousseront et dissimuleront le coup de couteau de la nature. Cette façon claire et simple, et parfois chaleureuse de faire son métier, la rapproche réellement de moi, me la rend nécessaire et fraternelle. Je sais que je peux m'appuyer sur des pronostics qu'elle a fait tourner sept fois dans sa bouche avant de les éventer.

Mais la maison impitoyablement se désagrège. Seule Aïda est en mesure de m'assister. Elle m'assume, mère poule noire habituée à des poussins malfaisants, me soigne et me dorlote, ne sait pas quoi faire de moi et se démène pour ne pas succomber à mon inertie. Elle a parfois des conciliabules avec Malcolm Barrymore qui me prend ponctuellement chaque nuit et me ramène durement à l'exigence du jour. Aïda ne me quittera jamais, heureusement, d'abord parce qu'elle ne mourra pas. C'est important de ne pas mourir lorsqu'on est, comme elle, indispensable, lorsqu'on est mon bâton de vieillesse, mon chien de garde, ma canne blanche. Aïda, ma mère noire, aux tendres berceuses bleu de nuit, Aïda ne me quittera jamais.

Holt a emmené ce matin Emmanuelle en promenade à la campagne. Il croit que la vue du lac des *Cygnes* en hiver a de quoi secouer sa léthargie. Il se propose également de la persuader d'accepter un séjour en clinique. À plat ventre sur mon lit, je me laisser bercer et envelopper par la présence d'Aïda qui chante en massant mes épaules. Mon corps flotte dans une vague creuse de chansons nègres. Elle fait bouger mes muscles engourdis, me remplit les poumons d'air froid, s'acharne à me convaincre de la réalité de la vie. Quand elle m'abandonne, merveilleusement meurtrie, je sombre dans un sommeil pulpeux et sans rêves.

N'ai-je échappé aux songes que pour me réveiller en plein cauchemar? Emmanuelle est assise au pied de mon lit, au milieu des coussins. Elle attend ostensiblement qu'Aïda ait terminé quelque besogne et que je la prie de nous laisser seules. Depuis treize ans que j'espérais cette démarche de ma fille, je n'y croyais plus. Je n'ose bouger de peur que cette vision ne s'évanouisse. Quel calme superbe elle affiche, quelle étonnante transformation! Aïda y lit peut-être quelque provocation; elle traîne autour de nous, farfouille dans les tiroirs de la commode.

— Laisse-nous, Aïda!

Emmanuelle a incliné la tête, peut-être involontairement. Peut-être est-elle déjà éprouvée par notre soudaine intimité ou par l'image inusitée qu'elle a de moi? Je suis alitée comme une malade et cela peut l'effrayer. Pourtant je vois ses lèvres bouger, elle veut me communiquer quelque chose qui la préoccupe visiblement. Elle articule enfin :

— Geo et Mercédès s'aiment.

Je la hais et je l'aime éperdument car elle me blesse, car elle souffre, car nous sommes du même sang et de la même peine. Je suis si interloquée que je ne trouve rien à répondre. D'ailleurs, que ferait-elle de ma piteuse et discutable réponse ?

— Je me contrefiche de Geo ! Quelles sont tes intentions pour Hedwige ? s'exclame-t-elle brusquement.

Elle se montre si incroyablement maladroite que je ne peux que balbutier :

— Hedwige ?

Grands dieux ! y ai-je jamais songé ? Que pourrions-nous bien en faire ? Éventuellement une étoile peut-être ? Emmanuelle ne tient pas compte de mon mutisme, elle insiste :

— Elle ne mourra pas, elle est à Jubald et ne mourra pas !

Je veux bien, quelle importance après tout ! Les enfants et les servantes noires ne meurent jamais. On les laisse jouer sous les lampes, pleurer dans leurs mains et courir dans les escaliers ! Hedwige ne mourra pas, voilà au moins quelque chose de sûr dans ce désert d'interrogation ! Ce qu'Emmanuelle veut, toutes les puissances du ciel et de l'enfer n'ont qu'à l'entériner ! Et je sais de quoi je parle.

Elle a quitté ma chambre sans rien ajouter. Je ne l'ai pas vue sortir, j'ai seulement constaté qu'elle n'était plus là. Je scrute la cloison et la fenêtre. Il y a des paroles qui méritent mieux que la dérision, il y a des silences qui équivalent à des engagements. Emmanuelle est entrée chez moi. Elle s'est assise en face de moi. Elle m'a en quelque sorte légué sa fille, à mon insu, dans une seule phrase sèche. Elle qui écrit tellement, c'est face à face qu'elle m'a donné Hedwige en m'enjoignant de manifester mes intentions à son sujet. Elle se débarrasse, elle a le cœur sur la main, elle se dépouille en ma faveur, quoi ! J'ai bien envie de vous la secouer comme un prunier pour lui faire rendre ce cœur pourri qu'elle me met sous le nez sans pudeur ! Laisse-moi tranquille, Emmanuelle ! Garde-la, ta sale petite braillarde ! Continue à tout garder pour toi, à t'approprier Jubald, à faire le vide autour de moi ! Pourquoi ne pas nous débarrasser de Geo après tout ? J'en connais au moins une qui ne dirait pas non !

Elle est entrée dans les appartements mauves et blancs de Mercédès à qui, effectivement, elle vient de confier Geoffroy du même souffle qu'elle m'a livré sa fille. Mercédès n'en demandait pas tant mais cette générosité encombrante nous met hors jeu. Quand on a le cœur grand, on se débrouille toujours ; mais ses allures de reine au cœur innombrable ne me tromperont pas ! Aïda et moi la surveillerons jour et nuit, assise en poule sauvage parmi ses livres. Aïda a l'habitude des éclairages de trous de serrure depuis qu'elle passe sa vie à me protéger, à défendre mes secrets et mon âme. Aïda, ma mère Aïda, que vois-tu derrière cette porte obscure? Ne vois-tu pas mon enfant venir? Ne vois-tu pas son cœur s'ouvrir dans un flot de sang bleu et or? N'y a-t-il rien à attendre de toi? Aïda, parle-moi dans ta langue natale, avec les mots intraduisibles de ton cœur d'origine. Berce-moi, berce-moi, bouche pleine de blues érotiques, de songes noirs comme le soleil d'Afrique! Aïda, velours sombre et velours tiède, enveloppe-moi! Je pleure déjà et je remplis de cette eau salutaire les jattes et les urnes où gisent des parfums de glycines et d'iris.

Malcolm Barrymore m'emportera en ses yeux ce soir. J'aurai deux filles en héritage, la mienne et celle de l'homme que j'ai aimé. Malcolm n'a reçu que mon corps vieillissant, que ma chair lentement retournée sur la hanche pour dormir.

— Tu es tout ce que je veux, Hilda, tu es tout ce que j'aime.

Parle, parle, Malcolm Barrymore, ferme les yeux pour ne rien voir. Qu'y aurait-il à regarder? La vie se répète, s'allume, s'éteint, ses fioritures, ses graffiti, ses circonvolutions! Tout s'enchaîne et recommence, flonflons et guirlandes, masques et dentelles. Nous avons tout pour être heureux, quelle humiliation de ne pas l'être, et d'être au contraire apeurés par des chats noirs et des cheveux coupés en quatre! Parle, Malcolm, c'est écrit partout sous nos crânes: ici le sourire est de rigueur!

8

Le départ de Geoffroy est fatal. Depuis des semaines déjà, il y avait des ailes dans les conciliabules des amants, des rires qui déviraient, des claquements joyeux de voiles dans leurs yeux. De plus Geo est un homme droit, incapable de vivre une situation ambiguë sans essayer de la simplifier. Je lui en veux de partir un peu plus loin chaque jour, de trancher les mille liens qui nous réunissent avec franchise et dextérité.

— Il faut que je parte pour rendre la paix à Emmanuelle. Au fond, elle ne m'a jamais raconté d'histoires, c'est moi qui m'en inventais! Je lui pardonne tout, je pars sans rancune...

— Ne vas-tu rien regretter?

— Je vais tout regretter.

Geo est tout d'une pièce, aussi ne reculerait-il pas devant un coup de tête si c'en était un. Il ne se détourne pas davantage d'une solution logique si elle permet de rebondir pour dépasser l'encombrement où il se perd. Mais tout se passe si horriblement vite quand quelqu'un vous quitte. «Celui-ci est mon fils bien-aimé... », disait Dieu avec une souveraine nostalgie. Je perds moi aussi un fils bien-aimé! Personne n'a donné de nom aux mères qui perdent leur enfant; pourtant elles sont veuves et orphelines dans chacun des atomes de leur être lorsque le fils s'en va, ou que la fille se change en femme... Geoffroy, lui, change d'orgueil, il change d'étoile sans personne pour le ramener à sa première forme où Mercédès ne le reconnaîtrait pas. Je suis triste à mourir, personne ne va donc paraître à la fenêtre: vieille sorcière porteuse de calamités, belle infante ténébreuse clamant son amour à l'agonie, servante noire au grand œil blanc rouillé de larmes? Personne ne viendra assister le déserteur pris d'impatience et de douceur au moment de franchir la dernière passerelle et de brouiller la seule piste où le rejoindre? Il se détache de moi, il me tourne le dos, il s'ébroue comme un chien mouillé sur le seuil de la porte. Et si j'en crois mes propres radotages, il ne sera pas le seul à partir. L'arbre est pourri, les branches se détachent et ce n'est pas en rechignant que j'arrêterai l'exode de mon cœur. J'écoute distraitement ce que Geo raconte au sujet de Mercédès qu'il a fait remplacer auprès de la petite. Une nouvelle infirmière arrivera ce soir et s'installera dans la chambre mauve de Mercédès. Il est méthodique et précis, il commande, il ne laisse rien au hasard. Il en a long sur la langue et lourd sur le cœur, mais son discours me rentre par une oreille et sort par l'autre en pièces détachées que je ne songe pas à rassembler. Je ne peux croire en ce moment que Alex Holt ait persuadé Emmanuelle de rentrer en clinique demain, ce sont là des ragots de bonne femme indignes de mon attention. Geoffroy le transfuge m'intéresse au contraire car il est celui qui a désespéré et qui retrouve vie, l'homme qui a plongé au fond de l'abîme et qui en remonte par miracle, propulsé par sa seule énergie.

Mercédès semble beaucoup plus petite dans son tailleur rose, ses trois malles à ses pieds. Elle reste debout à côté de lui, transie de silence, insonorisée des pieds à la tête. Elle pourrait m'attendrir comme m'effraie Emmanuelle cousue de la nuque aux chevilles dans un collant noir. Geo s'approche de l'escalier pour lui serrer la main, il est trop tôt pour s'émouvoir :

— Sois heureuse, ma chérie.

Elle le regarde malicieusement, déjà délivrée, déjà heureuse : le bonheur est une formalité à laquelle elle se prête volontiers, quand il le faut et qu'on s'y prend gentiment avec elle.

— Je te regretterai, Geo, je regretterai Mercédès.

Pourquoi cette scène presque gracieuse me paraît-elle loufoque, comme si un absurde vaudeville remplaçait soudain le quiproquo essentiel ? Que ces jeunes gens sont polis et bien élevés ! Grands dieux, qu'ils me déçoivent alors que j'attends d'eux des cris et des injures ! Qu'ils s'en aillent, avant de se jeter dans les bras les uns des autres et de s'embrasser avec émotion ! Ils sont capables de tout, les monstres !

Brutus s'est chargé ponctuellement des bagages, il a fait place nette avec une efficacité qui compense pour notre inertie. Emmanuelle remonte lentement l'escalier, la tête droite, sa silhouette admirable se mêlant à l'obscurité de ce crépuscule à ne pas confondre avec les autres soirs d'hiver. Aucun danger, la mémoire commence toujours en hiver! Quand il n'y a plus rien à espérer ou à construire, elle se réveille avec fracas et vous inonde de ses absurdes déchets! À quoi bon la mémoire, hein, Jubald? Elle ne peut rien contre les détours et les vertiges de la réalité, on s'y cramponne par pure résignation. Or je ne me résignerai jamais à rien.

Chez Emmanuelle, tout est silence. Inutile de frapper, elle n'ouvrira point. Ailleurs la maison est vide, pourtant Geoffroy n'a rien emporté: ni les cadeaux d'Emmanuelle, ni les souvenirs de voyages. Sa vie commence demain, elle appartient à d'autres mirages et j'ai pu admirer avec quelle équité et quelle sagesse il a respecté les droits d'Emmanuelle et Hedwige. Cela n'empêchera pas la désagrégation de cette maison, je le sens au toucher des murs, aux odeurs des chambres (que Geo et Mercédès ont quittées) qui ne sont plus que de vagues relents de grand ménage. Le choc de ce départ m'a bouleversée: j'aurais aimé que l'un de nous fût suffisamment attaché à ces murs pour y demeurer. Elle sera vendue notre cage dorée, Malcolm se frotte les mains : il flaire la bonne affaire et n'aimait pas cette propriété trop cossue et encombrée de la gloire de Jubald. Elle n'avait plus d'âme depuis sa mort et bien malin qui aurait réussi à lui en fabriquer une autre. C'est fini. Quelque souffle en moi parle de recommencement : c'est peut-être cette odeur de savon et de poudre abrasive qui m'agace les narines tout simplement ! La nostalgie n'est jamais ce qu'on pense !

— Brutus, allumez l'âtre du salon.

Je viens de prendre une très subite et très vive décision. Inutile de réfléchir, de peser le pour et le contre, j'en ai assez des hésitations et des élucubrations des dernières semaines. Avec une étonnante fermeté, je rassemble les cahiers, les lettres et les poèmes d'Emmanuelle qui me sont tombés entre les mains à force de recherches et d'entêtement. La flamme qui les saisit l'un après l'autre, les embrase et les calcine, montre une extrême voracité. Je nourris avec calme le petit monstre avide, hypnotisée par l'envol de ces oiseaux noirs fantastiques, par ce pépiement du feu qui répond aux confidences du papier. Que de feuillets perdus ! Que d'illusions changées en fumée ! C'est Emmanuelle que je livre à la justice ; c'est moi que je contrains à l'éblouissement ! Hedwige ne lira jamais une seule ligne de ce brouillon sur lequel ma fille s'est acharnée inutilement. Aïda, fascinée, ne sait plus sur quel pied danser.

Il faut brûler Emmanuelle jusqu'à la racine, extirper de l'air de cette maison le mauvais esprit qui la hante. Le feu ! Quelle force et quelle objectivité : rien ne subsiste et pourtant rien ne ressemble aussi peu à des ruines que ces amas de cendres encore chaudes et quasi lisibles à force de transparence. Nous en aurons pour des heures à achever notre œuvre. Je ne conserve rien : acte de naissance, certificats d'études, diplômes, manuscrits, le mythe d'Emmanuelle s'effondre sans histoire, et bien outrecuidant celui qui prétendra qu'elle a vécu, dans cette maison par-dessus le marché. C'est bien fini, Emmanuelle ! Toi qui n'hésitais jamais à prendre les grands moyens, te voilà traitée à ta mesure. Qui aurait dit qu'elle aurait plus de charme encore en fumée qu'en chair et en os ? C'est ta mère qui parle, hein ? On a tout intérêt à écouter une mère qui extravague, et ses boniments devraient être gravés dans le marbre ou dans la pierre des menhirs !

Naturellement, on n'en est pas encore là ! Qu'importe, j'ai de la patience désormais, j'attendrai ! Le feu a fait de la bonne besogne et continue de grignoter et de ronger tous ces innocents papiers. Je le laisse faire, je l'encourage, il doit en fin de compte se rendre jusqu'à l'os : c'est là que dort la solitude. Quelle gangue épaisse ! — Feu, feu, joli feu, ton ardeur me réjouit ! J'avais désespéré de trouver la solitude, de toucher le nœud de mon être, de contempler le secret de l'âme vivante. Hé, Lancelot ! c'est moi qui cachais le Graal, la flamme minuscule et rigoureuse qui sort tout à coup du néant. Le désespoir est si beau qu'il me fait monter des larmes aux yeux. J'ai douté de l'amour d'Emmanuelle hélas ! et c'est elle qui me conduit sur la voie de la prophétie et de l'illumination. Elle a mis des oiseaux dans ma bouche et mes poings, elle possédait le secret de l'impossible et de l'insaisissable...

— Quel beau feu, hein ?

Aïda détourne les yeux. Ses bras pendent dans sa jupe :

— Il ne reste plus rien, Hilda.

Pour qui donc Emmanuelle gardait-elle cette correspondance et ce journal, et les confessions délirantes de ses poèmes ? Encore une fois je lui prête des intentions, je viole l'univers sacré où elle plongeait pour empêcher la gangue de papier de se refermer sur son âme. *Deep Magic !* Cette âme ruisselle sur moi, elle m'enveloppe, elle me pénètre et je vois bien que personne n'a commencé d'exister avant que ces mots aient envahi les feuillets fluorescents. L'épreuve du feu ! Il faut subir l'épreuve royale, tel est le message du poète. Elle et moi émergeons du nom commun le plus difficile à porter, le plus humble à trahir : Femme. Elle et moi, nous autres, femmes ! nous nous retirons au cœur de la blessure.

— Faut-il aussi brûler les livres ? demande Aïda, hésitante.

Sa perplexité me touche, mais je saisis la pile de livres fermement. La réponse est oui, qu'elle se fasse une raison, qu'elle aille se faire émouvoir ailleurs ! Quand je dis *tout,* c'est *tout.*

Elle a déjà les yeux rouges d'ailleurs, quelques larmes de plus ou de moins...

— Hilda, mon petit, tu vas dormir maintenant. Écoute ta vieille Aïda, viens !

Je n'ai pas le courage de dormir encore. À peine puis-je m'affaler dans ce fauteuil et regarder rougeoyer la braise, et songer que si je n'étais pas épuisée, j'y jetterais la maison entière...

— Quel dégât tu as fait dans cette cheminée, petite peste ! Brutus en sera vert de rage et se plaindra d'avoir à faire le ramoneur... Mais tu as bien agi, ma mignonne, pour l'amour de ta fille...

— Pas pour Emmanuelle ! Je n'ai rien fait pour personne, tu m'entends ?

Les mains puissantes d'Aïda massent ma nuque. Mes cris ne l'ont jamais impressionnée, elle sait trop bien d'où ils viennent. Ils sont un langage comme un autre, on n'a pas toujours le temps de mettre les points sur les i. Elle se passera de la ponctuation, elle a de grandes mains sauvages qui parlent directement à ma peau sans passer par la grammaire. J'entends le cri de Hedwige qui appelle à travers les murs mais je ne bouge pas. Garde Isabelle est plus vive que moi ! Elle s'appelle garde Isabelle, n'est-ce pas ? Isabelle passe sa vie à soigner des enfants sans bras, il n'y a pas de sot métier, il n'y a que des sexes aveugles et des ovaires pourris. Dans tous les cas, il n'y a pas de tendresse de trop sur cette sale planète, et c'est à mon tour d'en manquer peut-être.

— Malcolm est-il rentré ?

— Il est trop tôt, Hilda, il rentre toujours pour le dîner, tu le sais bien.

C'est exact, ma chère, on croirait entendre le Big Ben en personne quand il met le pied dans le vestibule. Je hausse intérieurement les épaules : on peut de temps en temps perdre la notion du temps, il y en a qui parviennent à changer la vie, pourquoi pas ? Il y en a qui se livrent spontanément à leurs coups de tête et sont catapultés dans une autre dimension de la planète. Moi, par exemple ! Je suis échevelée, roussie, souillée de cendres et de suie, je me suis bien amusée à raser le monde ; Attila n'était pas plus fier de faire peur à l'herbe que moi d'engloutir du précieux papier. Et pourquoi, hein ?

— Tu es ébouriffée comme un chat sauvage, tu ne peux pas rester ainsi. Viens que je t'arrange un peu !

Aïda me montre ma tête dans le miroir qu'elle a sorti de sa poche et se met à rire, elle rit comme une folle, s'esclaffe, irrésistiblement elle m'entraîne dans son hilarité, nous sanglotons de rire et les larmes se mêlent à la suie pour me barbouiller le visage. En effet, je ne suis pas montrable à Malcolm Barrymore dans cet état. Quel plaisir, quel soulagement dans un tel moment d'allégresse de penser qu'on est passible d'internement ! Arrêtons-nous à temps, Aïda ! J'ai dû vieillir de soixante-dix-sept ans en quelques heures ! Qu'elle me lave, me peigne, m'étrille et me parfume donc ! Je me laisse faire, je me laisse aller. Il faut souffrir pour changer le monde ! Tant pis pour les rêveurs qui ont cru qu'il suffisait de gribouiller leurs illuminations pour y parvenir. Même le rire fait mal au ventre quand il explose sans contrainte ! Comment une pauvre femme — on sait que nous avons le ventre fragile ! — sortirait-elle de ce défi sans brûlure à guérir !

Je me fais croire qu'Emmanuelle n'existe plus, du moins sous sa forme habituelle, que je l'ai chassée de cette maison. Comme on se débarrasse des démons par l'exorcisme. Affolée par l'odeur de l'enfer, elle a eu le choix de toutes espèces de suicide et ce n'est pas l'imagination qui manque.

— Regarde-toi, Hilda, tu es belle !

Derrière un masque, même la plus vilaine femme peut prétendre à la beauté, mais cela ne me donne plus envie de rire. Je me détourne de l'image fignolée par ses doigts ingénieux ; c'est bien assez que Malcolm s'y laisse prendre !

— As-tu vu Emmanuelle, aujourd'hui ?

A-t-elle seulement eu le temps de lorgner les trous de serrure ? Il y a des jours où vraiment je lui en demande trop. Elle me tourne le dos, elle déteste que je lui manque de reconnaissance, elle refuse que je lui demande : à quoi bon ? Elle ne fait rien pour rien, Aïda. Si on établissait le calcul des actions futiles et importantes, elle bouclerait ses bagages sans hésitation : mais cette attitude, de toute évidence, n'est possible que parce qu'on a déjà un pied dans l'immortalité. Quant aux autres, il leur faut prendre leur mal en patience.

9

Quelqu'un me touche aux épaules. J'ouvre les yeux et reconnais Malcolm Barrymore tandis que mon esprit secoue ses cendres. Je ne me trompe pas, le regard qui me dissèque est chargé d'inquiétude et d'une sollicitude exagérée. Je suis allée si loin au bout du sommeil que même l'odeur du poitrail dur et la batterie lointaine du cœur me paraissent irréels. Le silence m'empâte la bouche. Debout derrière Malcolm, Aïda montre les mêmes signes complexes, mêlés à une terreur qui alerte mes pauvres sens encore tout enchifrenés par le sommeil.

— Vous n'auriez pas dû la laisser seule : elle a pris trop de somnifères.

— Mais elle dormait quand je l'ai laissée...

Ma pauvre Aïda abasourdie, incrédule, fait pitié à voir. Elle a certainement eu la peur de sa vie ! Mais je ne réalise pas encore que c'est moi qui l'ai effrayée. Je m'étire en tous sens, je me sens étrangement légère, comme si un incommensurable poids était tombé de mes épaules.

— Réveille-toi, paresseuse, c'est le printemps ! s'exclame Malcolm enfin rassuré.

— Partons aujourd'hui pour *Les Cygnes* ! ai-je répliqué du tac au tac.

Grands dieux, qu'il fait beau ! Quel soleil ! Quelle jeunesse dans le ciel et les énormes chênes embourgeonnés jusqu'au cou ! Je ne remarque pas tout de suite la tristesse d'Aïda et l'embarras de Malcolm : ma résurrection ne leur fait pas autant plaisir que je le voudrais, elle ne les enchante pas plus qu'il le faut, on dirait.

— Hilda, marmonne soudain Aïda de sa voix grave et ronde, Emmanuelle est partie.

— Bon débarras ! ai-je dit dans un cri du cœur qui achève de troubler ma pauvre chère Aïda.

Allons ! Voyons ! Emmanuelle est partie, c'est une chance ! Bien sûr que j'aurais aimé lui faire mes adieux ; c'était mon enfant, après tout ! Mais pourquoi s'en faire à son sujet ?

Quelle délivrance, non ? Elle est jeune et libre, la planète tout entière lui appartient. Je me fais croire que c'est moi qui l'ai libérée, en réduisant ses confessions en cendres, je me donne le beau rôle, je m'abandonne à la satisfaction du devoir accompli. Mais Malcolm reste impassible.

— Ma chérie ! Aïda a voulu dire qu'Emmanuelle est morte.

Ai-je vraiment entendu ces paroles qui me brûlent l'oreille ? J'applique mes paumes contre mes tympans pour faire cesser ce vacarme. Partir, c'est mourir ? quel criant manque de précision ! Gaie ou triste en tout cas, je ne suis pas sur la bonne longueur d'ondes ! Je n'ai pas l'habitude des ultrasons.

« Je donne Hedwige à qui elle appartient. Je rends à Jubald ce qui est à Jubald et à Dieu. Mon ventre n'est plus assez vaste pour contenir un enfant. La drogue le ferme chaque jour davantage et l'étranglement final est proche. C'est une étrange sensation : mon ventre se resserre sur les peuplades qu'il porte, comme la vallée de Josaphat, pour démêler le ciel des enfers. Hedwige seule survivra pour témoigner du feu. C'est la fille de l'amour, Vénus réincarnée, elle a du sang d'immortelle : je lui passe le flambeau, je lui rends les armes. Je l'ai regardée dormir toute la journée, elle dort comme un chérubin. Parfois je dors, moi aussi, comme un ange, après la naissance de ma fille, c'est-à-dire que je quitte la sphère terrestre et me retrouve en cavale dans les régions interdites de l'enfance. Ce sont mes meilleurs moments, car je suis à ses côtés et nos joies se ressemblent. La plupart des enfants viennent au monde avec deux bras, Hedwige n'en a aucun : ça ne sert à rien pour bouger les montagnes, aussi n'ai-je pas de regret, du moins pas autant qu'on voudrait que j'en aie. Pour chercher le bonheur, deux moignons d'ailes promettent plus que des menottes de bébé.

Car j'ai bien promis à Geo de chercher le bonheur, de ne jamais renoncer à une quête qui le fascinait, je me demande bien pourquoi. Mais je ne suis pas obligée de comprendre pour promettre ; j'aurais suivi Lancelot du Lac comme un chien, sans comprendre ; j'aurais inspiré des extravagances à don Quichotte de la Manche, sans comprendre. J'aime Jubald sans comprendre, c'est tout dire. Il m'a ouvert le ventre et donné Hedwige. Je m'ouvrirai les poignets pour la nourrir de mon sang, je lui dois bien cela ! Je ne voudrais pas faire moins qu'une mère pélican pour son oisillon affamé.

Je suis très fatiguée, je commence à étouffer malgré de très longues et profondes respirations : l'air n'est pas mon élément, j'y flotte comme un poisson, sans aucune conviction, et sans grande chance de reprendre le dessus. Il me reste la mort — deep magic ! — les frères Karamazov, Desdémone, Ophélie, Shakespeare d'heure en heure plus fraternel... J'ai choisi mon compagnon d'agonie au rire puissant et sans amertume, il faut soigner son entrée dans le néant, ma chère Hedwige ! Parole de mégère !

Mais qu'est-ce que le bonheur, hein ? Demandez-le aux tortues géantes des îles Galapagos, à Ponce Pilate, au petit roi de Toutânkhamon, demandez, demandez, il en restera toujours quelque chose ! Du vent, de la fumée et l'innocence incorrigible du désir... »

Je ne lirai pas tout. Je vide les tiroirs de la villa maintenant, où Emmanuelle empilait testament sur testament. Aïda, en silence, remplit la cheminée des carnets, des cahiers, des albums couverts d'esquisses ou de cryptogrammes. C'est l'autodafé qui continue, seuls les lieux ont changé. Je ratisse la villa : c'est plus difficile et plus long que l'on croit de détruire une maison de papier ! Il ne s'agit même plus de vengeance, mais plutôt d'une sorte d'expiation, d'un adieu, d'un désaveu même. Si Emmanuelle n'existait pas, c'est bien ainsi que s'enflammerait mon imagination. Mais si elle a existé et que je l'ai laissée parler, écrire, peindre, aimer, haïr en mon nom, par étourderie sans doute, c'est ainsi qu'elle me hante et me détruit à son tour. Son ramage éclatant nous a brûlé les oreilles : elle délirait, grands dieux ! Aucune parole sage n'a traversé son rêve et il n'en restera rien. Elle a bien fait de garder ses secrets, de refuser la commisération d'un père, d'une mère ou d'un mari et même sa propre pitié.

Ce que je choisis moi-même ne m'étonne pas davantage. La mémoire est une page blanche et triste, et le guignol des grands sentiments ne vaut pas plus qu'une larme d'amour maternel qui ne vaut rien non plus. Les tiroirs, les étagères sont vides, les placards bâillent : plus un bout de papier. J'ai retourné les matelas, fait les poches, les cartables, les pupitres. J'ai effeuillé tous les livres. Quand on quitte une maison, on emporte son cœur et ses souvenirs et tout ce qui a une petite chance d'être impérissable.

— On a tout brûlé, dit Aïda, l'air aussi consternée que si la villa y avait passé.

Moi aussi, je suis désespérée et je me jette dans ses bras pour y être bercée comme elle a appris à le faire au commencement du monde, de ce mouvement à la fois austère et charnel, à peine sorti des ténèbres de la primitivité.

Ma nourrice est noire, le sang qui coule des poignets d'Emmanuelle aussi, quelle tendresse dans l'air malgré l'odeur des cendres, quel émoi dans les larmes que nous ne versons pas! Nous nous sommes fait du sang de nègre pour l'avenir comme s'il y en avait un, alors que le temps tombe goutte à goutte et que chaque goutte nous contient et nous disperse. De quel dieu sommes-nous donc les jouets? Celui qui me condamne me libère: Malcolm Barrymore peut vendre *Les Cygnes,* ils n'ont plus d'âme et une bonne brise emporte l'odeur de roussi et la fumée du dernier sacrifice. Emmanuelle est morte. Elle s'est ouvert les veines comme elle l'avait promis. Il n'y a pas de quoi fouetter un chat, ce n'est pas triste de mourir à son gré! Aïda raconte n'importe quoi quand elle chante, elle se permet des extravagances et des infidélités, elle m'emporte hors des murs et des haies sur son petit doigt. Elle est la géante de tous mes cauchemars, son giron est vaste comme une planète. Ma nourrice a du pain sur la planche si elle veut me vêtir, me loger, me nourrir à la mesure de mes besoins! Emmanuelle n'est pas plus morte que moi, elle n'a fait que nous tourner le dos...

Garde Isabelle a pleuré sur l'épaule de Malcolm. Elle y a déposé sa jeunesse, son inexpérience, sa peur et son vertige d'enfant. Garde Isabelle nous quitte ce soir, je l'ai renvoyée pour prendre sa place, ni plus ni moins. Hedwige roucoule, elle bat des prunelles et des pieds.

— Qui prendra soin de l'infirme? crie Malcolm enragé par ce départ.

Quelle infirme? Il n'y a plus de malades ici, mais une petite fille adorable qu'on peut prendre dans ses bras et embrasser, à qui murmurer des berceuses noires quand elle a sommeil, une enfant toute tournée vers la vie!

— Qui, ici, a les diplômes, le doigté, le droit, l'efficacité de garde Isabelle pour consoler, soigner, rééduquer notre pauvre infirme?

Quelle colère, grands dieux! pour un si petit événement! Nous ne connaissions pas encore garde Isabelle, son départ ne nous fait pas un pli. La déception de Malcolm ne m'intéresse pas, la déconfiture de garde Isabelle non plus. À nous deux, Aïda et moi, nous avons réduit en cendres plus de diplômes qu'elle n'en décrochera jamais! Eux non plus n'avaient pas servi, et cela ne nous fait ni chaud ni froid.

La paix peut-être. Au cœur de l'ombre, la paix. Je renifle le jour, je le flaire et le retourne délicatement dans sa senteur de trèfle et sa sueur d'œuf qui s'ouvre. Je le retourne avec d'infinies précautions. Je le toue et l'attache au ponton de ma main. J'ai peut-être un navire à la main. Peut-être la mer.

Cela se fera sans souffrance et sans colère.

— Malcolm, où vas-tu ce soir?

— Garde Isabelle a oublié quelques effets, je les lui porte.

— Malcolm, sais-tu que Brutus peut s'en charger?

— Voyons, Hilda, ce ne serait pas délicat.

Garde Isabelle aura oublié tant de choses ici. Malcolm Barrymore se lassera inévitablement de cette navette folle entre elle et moi. Quelque soir, c'est lui qui aura oublié des effets chez elle et, pour ne pas manquer aux convenances, il sera bien obligé de s'y attarder à mes dépens. Demain soir il pourrait bien ne pas rentrer (et personne ne grimpera dans les rideaux), il a sans doute une vocation de consolateur à poursuivre. On ne résiste pas à une vocation, on fait son petit bonhomme de chemin en la portant sur son dos cahin-caha.

Je croyais que la douleur n'avait pas de fin, pourtant elle en a une. Le cœur et l'esprit s'apaisent tandis que l'été, encore une fois, recommence le monde. Il fait beau ici, la vie est simple et je me dépouille lentement du superflu et de l'accessoire: entre le berceau de Hedwige et ma flamboyante Aïda, j'épelle les premiers mots de la vie, les seuls qui comptent, ceux qu'il faudra répéter à Hedwige... Je m'éloigne de ceux que j'ai possédés, le temps d'apprendre à aimer. Il n'est jamais trop tard pour apprendre, paraît-il, mais il y a quelque chose de pourri en chacun de nous à guérir d'abord. Il y a un royaume du Danemark à épurer dans chacun de nos corps.

Je pousse le landau de ma petite-fille le long du trottoir qui borde la maison. Je m'habitue à faire sa toilette, à l'habiller et à la contempler. Elle babille comme une bergeronnette et son âme frêle se renforce chaque jour. Je médite les prédictions de Mercédès à propos des bras qu'elle aura grâce à la technologie médicale. Elle possède déjà beaucoup de cheveux et promet d'arborer dans quelques années la somptueuse toison de sa mère. Je la soigne comme la prunelle de mes yeux car elle représente la vérité et la vie... Sa présence me préserve de l'amertume comme les chants d'Aïda font reculer la peur.

Le plus difficile a été de me séparer des cygnes. Quels magnifiques oiseaux! Pour les remplacer, Aïda nous a offert deux tourterelles dont la cage a été installée dans notre minuscule jardin. Le monde est petit, tout petit, blanc, duveteux, je vis dans le berceau de Hedwige posé devant la fenêtre.

Tu vois, je reviens vers toi, Jubald! C'est ton enfant qui me hale de toutes ses forces. Pourquoi me suis-je inquiétée qu'elle ait ou non des bras ? Elle transporte les montagnes, elle ouvre un passage à l'eau des rochers ! Eh oui ! elle a fracassé mon cœur de pierre et dominé le temps qui nous séparait, toi et moi. Emmanuelle et toi reposez sous la même colline, dans le même irréfutable bonheur, justice est faite. La seule victoire de l'amour, c'est l'amour lui-même quand il vous a passé sur le corps et métamorphosé en étoile filante...

L'air vibre intensément. De petites mouches noires bourdonnent autour de la moustiquaire qui protège Hedwige. Quand elle aura grandi, elle apprendra la douceur de vivre, avec le goût des purées et des confitures, le roucoulement des deux tourterelles, la présence magique d'Aïda à ses côtés.

— Vous avez l'air si heureuse ! m'a jeté Geoffroy hier, au terme d'une visite éclair avec Mercédès.

Sa remarque m'a fait plaisir, et son air joyeusement stupéfait, donc ! Je l'ai embrassé sur la joue et elle aussi. Ils ont regardé autour de moi le décor si simple — rien de superflu ! — l'existence tranquille au cœur d'une petite fille belle comme le jour, la lumière très douce qui tombait du crépuscule sur le jardinet engourdi.

Le bonheur, mais oui ! je le tenais enfin ! Puisque Aïda est éternelle. Puisque Hedwige a souri hier.

DU MÊME AUTEUR

Poésie

POÈMES 1959-1960-1961
Québec, Garneau, 1978.
LA MALEBÊTE. Prix de la Province de Québec 1963
Québec, Garneau, 1968. (troisième édition)
POUR LES ENFANTS DES MORTS. Prix France-Québec 1965
Québec, Garneau, 1968. (deuxième édition)
LE VISAGE OFFENSÉ
Québec, Garneau, 1966. (épuisé)
L'ŒUVRE DE PIERRE. Prix du Maurier 1970
Québec, Garneau, 1968.
POUR VOIR LES PLECTROPHANES NAÎTRE
Québec, Garneau, 1970.
IL Y EUT UN MATIN
Québec, Garneau, 1972.
LA VOIE SAUVAGE
Québec, Garneau, 1973. (épuisé)
NOIR SUR SANG
Québec, Garneau, 1976.
LES CHEVAUX DE VERRE
Montréal, Nouvelles Éditions de l'Arc, 1979.

Prose

FEMME FICTIVE, FEMME RÉELLE, lectures
Québec, Garneau, 1966. (épuisé)
FRANÇOIS-LES-OISEAUX, nouvelles
Québec, Garneau, 1967.
LES CORMORANS, roman
Québec, Garneau, 1968.
QUAND LA TERRE ÉTAIT TOUJOURS JEUNE, roman
Québec, Garneau, 1974.
L'ÉTÉ SERA CHAUD, roman
Québec, Garneau, 1975. (épuisé)
UN PORTRAIT DE JEANNE JORON, roman
Québec, Garneau, 1977.
ADRIENNE CHOQUETTE LUE PAR SUZANNE PARADIS, lecture
Notre-Dame-des-Laurentides, Les Presses Laurentiennes, 1978.
MISS CHARLIE, roman
Montréal, Leméac, 1979.
IL NE FAUT PAS SAUVER LES HOMMES, conte
Montréal, Leméac, 1981. (deuxième édition)
La première édition de ce volume (Québec, Garneau) a obtenu le prix Camille-Roy 1961.

LES HAUTS CRIS, roman
Paris, Éditions de la Diaspora française, 1960. Québec, Éditions de la librairie Garneau, 1970. Montréal, Leméac, 1981.

Ouvrages déjà parus dans la collection « Roman québécois »

1. Alain Pontaut, *la Tutelle*, 1968, 142 p.
2. Yves Thériault, *Mahigan*, 1968, 108 p.
3. Rex Desmarchais, *la Chesnaie*, 1971, 240 p.
4. Pierre Filion, *le Personnage*, 1972, 100 p.
5. Dominique Blondeau, *Demain, c'est l'Orient*, 1972, 202 p.
6. Pierre Filion, *la Brunante*, 1973, 104 p.
7. Georges Dor, *D'aussi loin que l'amour nous vienne*, 1974, 118 p.
8. Jean Ferguson, *Contes ardents du pays mauve*, 1974, 156 p.
9. Naïm Kattan, *Dans le désert*, 1974, 154 p.
10. Gilbert Choquette, *la Mort au verger*, 1975, 164 p.
11. Georges Dor, *Après l'enfance*, 1975, 104 p.
12. Jovette Marchessault, *Comme une enfant de la terre*, t. I: *le Crachat solaire*, 1975, 350 p.
13. Pierre Filion, *Sainte-Bénite de sainte-bénite de mémère*, 1975, 134 p.
14. Jean-Paul Filion, *Saint-André Avellin... le premier côté du monde*, 1975, 282 p.
15. Jean-Jules Richard, *Ville rouge*, réédition, 1976, 286 p.
16. Wilfrid Lemoine, *le Déroulement*, 1976, 318 p.
17. Marie-France O'Leary, *De la terre et d'ailleurs*, t. I: *Bonjour Marie-France*, 1976, 210 p.
18. Bernard Assiniwi, *le Bras coupé*, 1976, 210 p.
19. Claude Jasmin, *le Loup de Brunswick City*, 1976, 120 p.
20. Bertrand B. Leblanc, *Moi, Ovide Leblanc, j'ai pour mon dire*, 1976, 240 p.
21. Alain Pontaut, *la Sainte Alliance*, 1977, 262 p.
22. Jean-Paul Filion, *les Murs de Montréal*, 1977, 432 p.
23. Antonine Maillet, *les Cordes-de-Bois*, 1977, 352 p.
24. Jacques Poulin, *les Grandes Marées*, 1978, 202 p.
25. Alice Brunel-Roche, *la Haine entre les dents*, 1978, 202 p.
26. Jacques Poulin, *Jimmy*, 1978, 172 p.
27. Bertrand B. Leblanc, *les Trottoirs de bois*, 1978, 266 p.
28. Michel Tremblay, *La grosse femme d'à côté est enceinte*, 1978, 330 p.
29. Jean-Marie Poupart, *Ruches*, 1978, 340 p.
30. Antonine Maillet, *Pélagie-la-Charrette*, 1979, 352 p.
31. Jean-Marie Poupart, *Terminus*, 1979, 296 p.
32. Suzanne Paradis, *Miss Charlie*, 1979, 322 p.

33. Hubert de Ravinel, *les Enfants du bout de la vie*, 1979, 200 p.
34. Bertrand B. Leblanc, *Y sont fous le grand monde!*, 1979, 230 p.
35. Jacques Brillant, *Le soleil se cherche tout l'été*, 1979, 240 p.
36. Bertrand B. Leblanc, *Horace ou l'Art de porter la redingote*, 1980, 226 p.
37. Jean-Marie Poupart, *Angoisse Play*, 1980, 86 p.
38. Robert Gurik, *Jeune Délinquant*, 1980, 250 p.
39. Alain Poissant, *Dehors, les enfants!*, 1980, 142 p.
40. Jean-Paul Filion, *Cap Tourmente*, 1980, 164 p.
41. Jean-Marie Poupart, *le Champion de cinq heures moins dix*, 1980 302 p.
42. Michel Tremblay, *Thérèse et Pierrette à l'école des Saints-Anges*, 1980, 368 p.
43. Réal-Gabriel Bujold, *le P'tit Ministre-les-pommes*, 1980, 257 p.
44. Suzanne Martel, *Menfou Carcajou*, t. I: *Ville-Marie*, 1980, 254 p.
45. Suzanne Martel, *Menfou Carcajou*, t. II: *la Baie du Nord*, 1980, 202 p.
46. Julie Stanton, *Ma fille comme une amante*, 1981, 96 p.
47. Jacques Fillion, *Il est bien court, le temps des cerises*, 1981, 348 p.
48. Suzanne Paradis, *Il ne faut pas sauver les hommes*, 1981, 194 p.
49. Lionel Allard, *Mademoiselle Hortense ou l'École du septième rang*, 1981, 245 p.
50. Normand Rousseau, *le Déluge blanc*, 1981, 216 p.
51. Michel Bélil, *Greenwich*, 1981, 228 p.
52. Suzanne Paradis, *les Hauts Cris*, 1981, 190 p.
53. Laurent Dubé, *la Mariakèche*, 1981, 216 p.
54. Réal-Gabriel Bujold, *La sang-mêlé d'arrière-pays*, 1981, 316 p.
55. Antonine Maillet, *Cent ans dans les bois*, 1981, 358 p.
56. Laurier Melanson, *Zélika à Cochon Vert*, 1981, 157 p.
57. Claude Jasmin, *L'armoire de Pantagruel*, 1982, 142 p.
58. Jean-Paul Fugère, *En quatre journées*, 1982, 164 p.

ACHEVÉ D'IMPRIMER SUR
LES PRESSES DES ATELIERS
MARQUIS DE MONTMAGNY
LE 12 MAI 1982 POUR
LES ÉDITIONS LEMÉAC INC.